D1301761

QUÉBÉCOISE !

PAULINE MAROIS

AVEC LA COLLABORATION DE
PIERRE GRAVELINE

QUÉBÉCOISE !

FIDES

En couverture : Photo © Manon Boyer avec l'aimable autorisation de la revue
Châtelaine

Catalogage avant publication de Bibliothèque et Archives nationales
du Québec et Bibliothèque et Archives Canada

Marois, Pauline, 1949-

Québécoise!

Autobiographie.

ISBN 978-2-7621-2767-6

1. Marois, Pauline, 1949- .
2. Québec (Province) – Politique et gouvernement – 1994-2003.
3. Québec (Province) – Politique et gouvernement – 2003- .
4. Chefs de parti politique – Québec (Province) – Biographies. I. Titre.

FC2926.1.M37A3 2008   971.4'04092   C2008-940133-6

Dépôt légal : 1ᵉʳ trimestre 2008
Bibliothèque et Archives nationales du Québec
© Éditions Fides 2008

Les Éditions Fides reconnaissent l'aide financière du Gouvernement du Canada
par l'entremise du Programme d'aide au développement de l'industrie de
l'édition (PADIÉ) pour leurs activités d'édition. Les Éditions Fides remercient
de leur soutien financier le Conseil des Arts du Canada et la Société de développement des entreprises culturelles du Québec (SODEC). Les Éditions Fides
bénéficient du Programme de crédit d'impôt pour l'édition de livres du
Gouvernement du Québec, géré par la SODEC.

IMPRIMÉ AU CANADA EN MARS 2008

À l'homme de ma vie, Claude Blanchet,
et à nos enfants, Catherine, Félix,
François-Christophe et Jean-Sébastien

Aux femmes et aux hommes
qui croient au pays du Québec

CHAPITRE 1

Une jeunesse québécoise

AU COLLÈGE PRIVÉ Jésus-Marie de Sillery, où mes parents avaient tenu à ce que je fasse mes études, nous portions l'uniforme. En principe, rien ne pouvait donc me distinguer de mes consœurs, pour la plupart bien mieux nanties que je ne l'étais. Rien, sauf les souliers. La majorité d'entre elles magasinaient dans les luxueuses boutiques Mayfair ou Simard et Voyer, alors que je devais me contenter de modestes souliers que je me procurais chez Towers. Aussi, dès que j'ai commencé à travailler et que j'ai disposé d'un peu d'argent, je me suis rendue chez Simard et Voyer et me suis offert le doux plaisir d'acheter de magnifiques souliers à talons hauts. Ils étaient d'une éclatante couleur orange et je les gardai longtemps.

Je suis née le 29 mars 1949 à l'hôpital Saint-François d'Assise de Québec, première des cinq enfants que mes parents, Marie-Paule Gingras et Grégoire Marois, ont mis au monde. Deux ans après ma naissance, nous déménagions de Québec pour nous installer à Saint-Étienne-de-Lauzon, le village d'origine de mon père sur la rive sud, en face de la Capitale nationale, où ce dernier bâtit une maison à deux étages.

Mon père venait d'une famille de cultivateurs. Il avait quitté l'école assez jeune et était devenu mécanicien, très bon mécanicien d'ailleurs, disait-on. Je crois bien que mon intérêt marqué pour les voitures, toujours aussi vif aujourd'hui, est hérité en droite ligne de lui. À ma naissance, mon père était employé à Québec chez International Harvester, un garage spécialisé dans la machinerie agricole et les camions. Il y travaillait un mois de jour, un mois de nuit; pendant son mois de nuit, ma mère avait fort à faire pour que les enfants gardent le silence afin qu'il puisse se reposer le jour. Je me souviens par ailleurs que mon père s'était taillé toute une réputation à dépanner les voisins quand ils éprouvaient des problèmes mécaniques avec leurs tondeuses, leurs premières laveuses automatiques, leurs grille-pain, etc.

J'ai toujours vu mon père revenir du travail avec les mains noircies par l'huile ou la graisse. Lorsqu'il viendra plus tard me chercher au collège privé Jésus-Marie de Sillery, dans sa voiture rouge, usagée certes mais retapée avec éclat, revêtu de sa parka et chaussé de ses bottes d'ouvrier, je peux vous dire qu'il ne passera pas inaperçu.

Ma mère était elle aussi issue d'une famille paysanne, plus à l'aise cependant que sa belle-famille puisque son père était propriétaire d'une grande ferme à Saint-Nicolas. Elle était devenue institutrice, métier qu'elle exerça jusqu'à son mariage. Il faut se souvenir qu'à cette époque une enseignante qui décidait de se marier perdait son emploi. Mais elle a toujours conservé sa passion pour l'instruction, passion qu'elle partageait avec mon père et qu'ils ont transmise à tous leurs enfants. Ce fut sans contredit leur plus grande fierté. Ils ne concevaient pas d'autre voie que l'éducation pour leurs enfants. Ils avaient cette intuition profonde que le seul chemin pour s'en sortir était l'apprentissage, l'acquisition de connaissances, l'ouverture d'esprit. Je me souviendrais de cela quand, trente ans plus tard, je m'investirais dans la réforme de l'éducation.

Mon père, qui a toujours regretté de ne pas avoir eu accès à l'instruction, disait « qu'il avait mangé son pain noir ». Pour ses enfants, ce serait différent. Malgré qu'il n'eût terminé qu'une quatrième année, il lisait beaucoup et se tenait très informé. Avec ma mère, il nous parlait sans arrêt de l'école. Il nous répétait à satiété qu'il était indispensable d'étudier. Lui, l'ouvrier, et elle, la maîtresse d'école, allaient faire les sacrifices qu'il fallait, mais leurs enfants seraient instruits.

Comme bon nombre de familles de l'époque, la nôtre devait économiser sur tout. Nous possédions une maison de briques de deux étages mais mon père, faute de moyens, mit des années à la terminer, de sorte que je passai pour ainsi dire mon enfance dans un chantier. Nous avons vécu sur des planchers de « plywood » et mon père avait camouflé certains murs qui n'étaient pas finis derrière de grands cartons que ma mère avait peints. Au début, le rez-de-chaussée nous servait d'habitation alors que le second étage était loué. Au bout d'une dizaine d'années, nous avons déménagé en haut, à notre plus grande joie car ce logement, contrairement à celui du bas, était pourvu d'un bain.

Nous vivions modestement, mais je n'en garde pourtant aucun mauvais souvenir car nous mangions à notre faim, trois fois par jour, et mes parents nous habillaient convenablement. Ils déployaient tous leurs efforts pour agrémenter notre quotidien.

Le climat familial était chaleureux. Mes parents s'aimaient et aimaient leurs enfants. Ils ne cachaient pas cet amour et exprimaient leur tendresse devant nous, ce qui était plutôt rare à l'époque. Et puis, il y avait ma grand-mère maternelle qui organisait souvent de grandes fêtes de famille réunissant facilement une soixantaine de personnes. C'est elle qui m'a donné ce goût de la fête que je n'ai jamais perdu !

Mon enfance n'a rien eu d'exceptionnel. Avec mes frères et ma sœur, de même qu'avec mes cousins et mes cousines qui habitaient juste en face, Michel, François, Gonzague et Lucille, nous nous amusions comme tous les enfants du monde. Je me rappelle avec nostalgie les jours où nous allions dans les champs lécher les blocs de sel destinés aux vaches ou cueillir des fraises pour un sou le petit casseau et deux sous le gros !

Une chose pourtant sortait de l'ordinaire. Je garde le souvenir de parents égalitaires avant le temps, même si c'était maman qui gérait le budget. Mon père détestait la chicane et était peu porté sur la discipline ou les punitions physiques. Les filles étaient élevées comme les garçons, sans la moindre discrimination ni préférence. Il était très fier d'avoir deux filles. Il nous poussa, filles et garçons, vers l'avant et c'est ainsi que nous sommes tous allés à l'université plus tard. Nous avons tous obtenu un diplôme universitaire : Denis en service social, Jeannine en arts visuels et, plus tard, en administration (MBA), Robert en art dramatique, Marc en administration et moi-même en service social et en administration. Je conserve de mes parents cette idée fondamentale que nous sommes tous égaux et que le rôle des parents est de veiller à cet équilibre.

Dans ce château fort du catholicisme qu'était alors le Québec, nous allions bien sûr à la messe. Ma mère essaya aussi à quelques reprises d'implanter la pratique du chapelet à la maison, mais cela ne dura jamais plus de deux ou trois jours. Nous vivions, par ailleurs, dans un milieu nationaliste. Sans être vraiment engagés politiquement, mes parents, surtout mon père, suivaient l'actualité. Dès le début des années 1950, il acheta un téléviseur. Il était abonné au quotidien *L'Action Catholique* et manifestait des sympathies pour les créditistes au fédéral et pour l'Union nationale au Québec.

C'est à l'école de Saint-Rédempteur, village voisin, que j'ai entrepris mon cours primaire à l'âge de six ans.

Bonne élève, souvent première de classe, j'aimais le français, détestais les mathématiques et adorais l'histoire et la géographie, matières qui me faisaient rêver... de devenir missionnaire en Afrique ! Mes performances me permirent de sauter la sixième année. Surtout, elles me valurent des prix qui étaient toujours des livres. Les religieuses avaient en effet cette excellente habitude de donner des livres en récompense pour les bons résultats scolaires. J'en garde aujourd'hui encore un amour profond de la lecture. Au cours de ces années, je fus aussi très active chez les « croisées », une organisation affiliée à la Jeunesse étudiante catholique (JEC). Je commençai à y découvrir et à y développer mon sens de l'organisation et mon goût du leadership.

Mais c'est mon séjour, à partir de 1961 alors que la Révolution tranquille démarrait, au collège huppé Jésus-Marie de Sillery pour y faire mon cours classique, qui marquera définitivement ma pensée et mes choix d'avenir.

C'est là que j'ai pris conscience de l'importance de l'accès aux connaissances, du rôle terrible du statut social dans un milieu cloisonné, du poids des religieuses qui étaient de bonne foi mais se retrouvaient, elles aussi, prisonnières en quelque sorte d'un système préétabli. Ce fut un véritable choc des cultures ! Issue d'un milieu plutôt modeste, je me retrouvais dans un milieu bourgeois parmi des filles de médecins et d'avocats dont les parents avaient d'excellents revenus. Mes parents se saignaient pour m'envoyer dans cette institution ; j'étais donc déterminée à réussir... mais aussi à changer le système, déjà. C'est à ce moment-là que j'ai acquis les valeurs qui me feraient lutter dans l'avenir pour l'égalité des chances, la justice sociale, l'accès à l'éducation, le soutien aux jeunes dès la petite enfance.

Ma mère confectionnait elle-même les vêtements pour la famille. Elle faisait des ménages pour que je puisse aller à Jésus-Marie. J'allais parfois l'aider le samedi pour qu'elle revienne plus tôt à la maison. Je me souviens de mon étonnement quand je découvris, chez une dame où je l'avais un jour accompagnée, une quantité qui me parut inimaginable de bouteilles de parfum.

Cela me gênait un peu que ma mère fût obligée de travailler autant pour payer mes études, mais j'avais surtout de l'admiration pour elle et pour mon père. Souvent, au collège, les sœurs nous questionnaient sur la profession de nos parents, en évitant toujours de s'adresser à moi. Cela me blessait terriblement, même si certaines enseignantes essayaient de gommer cette discrimination.

Comme mon statut social ne me permettait pas de briller de facto, je me démarquais par le travail et par l'engagement parascolaire. J'y ai croisé une certaine Louise Beaudoin qui étudiait chez les plus grandes. Élue présidente de classe dès ma troisième année, je suis restée, pendant toutes mes études au collège, membre de l'exécutif de l'association étudiante. C'est ainsi que j'ai pu également développer des liens avec les autres associations étudiantes à travers le Québec alors en pleine ébullition. L'été, dans les camps de vacances, j'étais monitrice ou chef d'équipe pour la JEC, la Croix-Rouge, les scouts et les guides ou encore le Club Richelieu avec des enfants de la basse-ville de Québec.

Après de bonnes réussites durant mes premières années d'études, préoccupée par d'autres intérêts — l'ébullition politique et sociale, mais aussi les premiers amours — j'ai échoué deux cours, le latin et l'anglais, et je fus menacée d'expulsion. Mes parents songèrent alors à me faire abandonner mes études classiques et entreprirent même des démarches auprès de l'Hôpital du Saint-Sacrement à Québec pour m'inscrire à un cours d'infirmière. Heureusement pour moi, qui avais peur du sang et des blessures, je n'avais pas l'âge requis. J'ai cependant clairement saisi le message et redoublé d'efforts, notamment en suivant des sessions d'été, pour finalement terminer mon cours classique.

Portant aujourd'hui un regard critique sur cette période, j'en fais le bilan suivant : les religieuses, en large majorité, croyaient en nous, nous encourageaient et nous répétaient que rien n'est impossible. Elles étaient, en quelque sorte, les féministes de l'époque, bien qu'aucun discours ne manifestât alors clairement ce choix. Elles représentaient bien le Québec qui émergeait de tant de complexes, de tant de non-dits. Mère Saint-André, par exemple, illustrait bien ce dilemme puisque, tout en m'enseignant la religion, c'est aussi elle qui me fit découvrir Jacques Brel et m'ouvrit une bibliothèque riche des grands classiques comme des modernes. De Zola à Saint-Exupéry, en passant par Julien Green, Jean Anouilh ou Roger Martin du Gard, je lisais tout... sans oublier les vrais interdits, par exemple *L'amant de Lady Chatterley*, que je lisais en cachette, lors de l'étude et même pendant les cours !

Les années du Collège Jésus-Marie furent aussi l'époque où des amitiés durables et profondes ont vu le jour avec deux femmes, Catherine Pagé et Lucie Fréchette, qui, tout au long de mon existence, seraient présentes et me soutiendraient. Ces amitiés, quarante ans plus tard, persistent toujours.

À seize ans, alors que je poursuivais toujours mes études au Collège Jésus-Marie, je suis tombée, lentement mais sûrement, amoureuse d'un homme, Claude Blanchet, qui allait devenir mon compagnon de vie et le père de mes enfants.

Nos deux familles avaient vécu à Limoilou à quelques rues de distance, à la fin des années 1940, mais ne se connaissaient pas. Elles avaient l'une et l'autre déménagé sur la rive sud, dans des villages voisins, en 1951. Plus tard, j'avais rencontré Claude en raccompagnant sa sœur Francine chez elle après une activité des « croisées » dont nous étions toutes deux membres. Je le côtoyais à l'occasion car tous les jeunes, d'un village à l'autre, se tenaient en bandes plus ou moins changeantes. Mais je ne prêtais pas vraiment attention à lui. Je sortais alors avec Roger, un de ses copains. En fait, c'est ma rupture avec celui-ci — mon premier et mon dernier chagrin d'amour — qui allait nous rapprocher.

Claude était déjà amoureux de moi, sans jamais me l'avouer. Mais il avait son plan de conquête... Il entreprit de me consoler, de m'écouter avec patience, de m'entourer de sollicitude. Nous sommes d'abord devenus amis. Puis, nous avons commencé à partager nos idées, nos ambitions, nos espoirs. Quoi de plus normal à cet âge — j'avais seize ans, il en avait dix-neuf —, nous voulions changer le monde! Comme il le dit encore aujourd'hui, en référence à Teilhard de Chardin dont il est un adepte: pour aimer, il faut connaître. Peu à peu, je l'ai connu et mon amitié s'est transformée en amour véritable pour cet homme audacieux, décidé et persévérant.

Claude est né le 2 novembre 1945. Il est le second fils d'Angéline Nadeau et Bertrand Blanchet qui auront une fille et trois garçons et qui vivront ensemble et heureux durant quarante-trois années. Sa mère était une femme atypique pour l'époque. Plutôt réservée et timide, elle avait pourtant eu le cran de quitter la ferme familiale pour aller travailler en ville, à Québec. Elle ne se maria qu'à l'âge de trente ans avec un homme plus jeune qu'elle et qui n'était pas de tout repos: haut en couleur, décidé, patenteux, fin renard, parfois autoritaire mais toujours généreux et disponible.

Le premier garçon du couple, André, était venu au monde fortement handicapé. L'ensemble de la famille se mobilisa pendant de longues années pour tenter de lui assurer un avenir. Claude, en particulier, devint son protecteur et son soutien en tout. Pour qu'André puisse étudier, Claude assurait son transport au collège et, plus tard, à l'université. André mourut malheureusement à l'âge de vingt-quatre ans. Mais le courage et la détermination de ses parents eurent une influence considérable sur la formation du caractère de Claude. Son profond respect pour eux, il le démontrera notamment lorsque nous prendrons sa mère, veuve et handicapée, chez nous jusqu'à sa mort à l'âge de quatre-vingt-quatorze ans.

Claude fit ses études primaires à l'école de son village, une école de rang où tous les élèves étaient regroupés dans la même salle de classe, peu importe leur niveau. Il était, de son propre aveu, un élève moyen dans certaines matières, avec néanmoins, déjà, un goût pour les chiffres plutôt que pour les lettres. Il compléta ensuite son cours scientifique chez les Frères des Écoles Chrétiennes à l'Académie de Québec avant d'entreprendre et de mener à bien une licence en commerce et une maîtrise en administration des affaires (MBA) à l'Université Laval.

Car Claude avait depuis toujours le goût du travail et la bosse des affaires. Dès l'âge de huit ans, il donnait un coup de main à la station d'essence — au « gaz bar », comme on disait à l'époque — et à la cabane à patates frites de ses parents. Très vite, il mit son grain de sel dans les affaires de la famille, rivalisant avec son père pour trouver des idées nouvelles. Sous son influence, la station d'essence se transforma au fil des ans, offrant des services qui la faisaient ressembler aux dépanneurs d'aujourd'hui. Une deuxième station fut ouverte. La

« cabane à patates frites » devint un véritable restaurant, installé au rez-de-chaussée de la maison familiale.

À dix-sept ans, Claude entreprit de voler de ses propres ailes. Il ouvrit une nouvelle station d'essence en empruntant vingt mille dollars à la compagnie Texaco, prêt qu'il remboursa en moins de huit mois. Il opéra ensuite une autre station de la compagnie Sunoco. C'est ainsi qu'il créa les premiers actifs de son patrimoine. En fait, il s'était mis en tête de devenir millionnaire avant l'âge de trente ans. Même si sa famille ne vivait pas dans la misère, ce n'était pas non plus le grand luxe.

Claude travaillait tous les jours de l'année, fermant ses stations d'essence tard le soir, étudiant par ailleurs à temps plein, s'occupant de surcroît de son frère handicapé. Il n'avait guère le temps de jouer au hockey, de skier, de pratiquer un sport, ni même en fait de s'amuser. L'envers du décor de cette incessante activité et de l'absence de loisirs fut qu'il développa un problème d'embonpoint. Il décida, je crois bien par amour pour moi, de régler cela une fois pour toutes en consultant un spécialiste de l'obésité et en adoptant un régime pour perdre quelques-unes de ses deux cent soixante-seize livres. Toute sa vie, par la suite, il contrôlera son poids avec une volonté sans faille.

Voilà le jeune homme dont j'étais tombée amoureuse ! Bien sûr, il n'avait pas beaucoup de temps pour moi non plus mais, comme il s'était acheté une coccinelle dès qu'il avait atteint l'âge de conduire une automobile, il me servait régulièrement de chauffeur. Et comme nous faisions d'innombrables allers-retours

entre la rive sud où nous habitions et la ville de Québec
où nous étudiions tous les deux, cela nous donna de
multiples occasions de nous voir, d'aller «faire du par-
king» dans les rangs, mais aussi de discuter et de mieux
nous connaître.

En 1968, mes études collégiales terminées, je m'inscrivis
à un baccalauréat spécialisé en service social à l'École
de service social de l'Université Laval, cette même université où Claude étudiait déjà. J'avais dix-neuf ans.

Cela me convenait parfaitement. J'étais une jeune
fille plutôt conscientisée. Au collège déjà, j'avais participé à des manifestations devant le consulat des
États-Unis pour protester contre la guerre du Vietnam.
Toutefois, à ce moment-là, la question nationale ne me
préoccupait pas outre mesure. Il faut dire qu'à Québec,
contrairement au Montréal de l'époque, le débat lin-
guistique, prélude au combat indépendantiste, était
totalement absent. Il en allait tout autrement de la
question sociale.

À l'université, avec des camarades, je mis à jour une
étude sur les conditions de logement dans la basse-ville
de Québec. Je m'interrogeais déjà sur les communautés
locales et sur les ressorts qui poussent leurs membres
à s'investir dans l'éducation populaire. Étudier en service social allait me permettre de comprendre les fondements de l'action sociale et politique et de façonner
davantage les valeurs qui seraient les miennes tout au

long de ma vie. C'est à cette époque que je me suis liée d'amitié avec Claude Gilbert qui est toujours, aujourd'hui, un indéfectible ami de notre couple.

À la fin de ma première année universitaire, j'obtins, avec mon amie Catherine, un emploi d'été à Hauterive. J'étais chargée de l'évaluation des foyers d'accueil pour enfants pour le compte de l'Agence des services sociaux de la Côte-Nord. Claude, pour sa part, était parti à Boston afin d'y apprendre l'anglais. À notre retour à Québec, après avoir passé l'été à nous écrire de longues lettres et las tous deux de vivre séparés, nous avons décidé de nous marier et de vivre ensemble. Nous avons rapidement annoncé la nouvelle à nos deux familles qui n'y virent aucune objection, mon père affirmant même : « Blanchet, c'est un bon parti » !

Le 27 septembre 1969, dans la chapelle de l'Académie de Québec (actuel cégep de Sainte-Foy), nous nous sommes engagés l'un envers l'autre par un serment qui n'a jamais été rompu. Devant nos familles et quelques amis, au cours d'une messe « moderne » célébrée au son d'une guitare sèche, toute de mauve vêtue, j'ai dit « Oui » à celui que je fréquentais depuis trois ans. Claude avait vingt-trois ans, j'en avais vingt. C'était un vrai mariage d'amour.

Nous aménageâmes dans un petit appartement meublé de la rue de Norvège, à Sainte-Foy, qui mérita rapidement le surnom de « Pauline snack-bar » tellement nous y recevions de la visite. Tradition familiale oblige, c'est moi qui faisais la bouffe pour tout ce beau monde pendant que Claude, qui en avait les moyens, payait la note. On y voyait défiler une faune étrange avec, d'une part, mes amis et moi, plutôt à gauche, qui voulions refaire le monde et lutter contre la misère, la pauvreté et les inégalités sociales; et, d'autre part, Claude et ses amis qui, plutôt intéressés par l'évolution des affaires et par l'effervescence économique que connaissait le Québec depuis la nationalisation de l'électricité, suivaient nos discussions d'un œil pour le moins critique.

Nous avions, Claude et moi, deux forts tempéraments et ne nous en laissions pas imposer. C'est dans ce petit meublé et au cours de notre première année de vie commune que nous avons jeté les bases qui nous permettraient, non seulement de survivre en tant que couple, mais de toujours partager l'essentiel et de rester en amour : un profond respect l'un pour l'autre quelles que soient nos éventuelles divergences au niveau des idées.

Les années 1960, qui avaient sonné le réveil du Québec, tiraient à leur fin. Une nouvelle génération était en train de s'emparer, et pour longtemps, des rênes de notre société. Sans nous en douter, évidemment, nous allions en être partie prenante.

Certains de nos amis étaient membres du Parti libéral du Québec qui venait de se donner un nouveau chef, Robert Bourassa. Nous étions allés, Claude et moi, assister à Ottawa à un congrès du Parti libéral du Canada pour y entendre Pierre Elliott Trudeau. Malgré tout, nous ne militions alors dans aucun parti politique.

Le choc de la prise de conscience était à venir. Il serait plutôt brutal et déterminerait pour longtemps nos engagements politiques.

Quelques mois après notre mariage, Claude obtint sa maîtrise en administration des affaires et fut embauché chez... Power Corporation. Cette compagnie venait d'acquérir Campeau Corporation et son propriétaire offrit à Claude d'aller le représenter en tant qu'assistant du président, M. Robert Campeau, ce qui l'obligea à aller travailler à Ottawa alors que je devais rester à Québec pour poursuivre mes études universitaires. Ce fut le début des déplacements d'une ville à l'autre qui ne devaient jamais vraiment s'arrêter depuis lors.

En septembre 1970, je pus toutefois aller le rejoindre pendant quelques mois. Comme je devais faire un stage en milieu de travail dans le cadre de mes études, j'obtins de l'animateur social bien connu dans l'Outaouais, Paul Leguerrier, qu'il m'accueille et me supervise. J'avais le mandat de travailler, avec d'autres personnes bien sûr, à la remise sur pied de l'Association coopérative d'économie familiale, plus communément appelée l'ACEF. La ville de Hull, située juste en face de la riche et anglophone Ottawa, était alors en pleine turbulence. Ses groupes communautaires combattaient avec acharnement le grand projet de développement d'édifices administratifs du gouvernement fédéral mis en œuvre sans tenir compte des besoins et des conditions de logement de la population.

C'est là que nous vécûmes la Crise d'octobre.

Quelques mois plus tôt, le Parti Québécois avait participé pour la première fois à une campagne électorale. Les résultats avaient été un véritable coup de tonnerre dans le paysage politique canadien et québécois. Le Parti Québécois avait obtenu 23 % des voix, ce qui le classait deuxième parti au Québec en pourcentage des votes, mais à peine sept députés, ce qui en faisait le quatrième groupe parlementaire à l'Assemblée nationale (après le Parti libéral, l'Union nationale et le Crédit social). Beaucoup de critiques s'élevèrent contre le système électoral et un sentiment d'injustice se fit jour chez une partie de la population.

En octobre 1970, des militants du Front de libération du Québec (FLQ), qui avait déjà commis d'inacceptables actions terroristes pour promouvoir l'indépendance du Québec, frappèrent un grand coup. Ils enlevèrent James Richard Cross, un diplomate britannique, puis Pierre Laporte, un ministre du gouvernement libéral au pouvoir depuis à peine cinq mois. On retrouva M. Laporte assassiné quelques semaines plus tard. À la demande du maire de Montréal, Jean Drapeau, et du premier ministre du Québec, Robert Bourassa, le gouvernement fédéral, dirigé avec l'arrogance que l'on sait par Pierre Elliott Trudeau, proclama la Loi sur les mesures de guerre, qui suspend les libertés civiles, et envoya l'armée canadienne occuper le territoire québécois. Des milliers de foyers furent perquisitionnés sans mandat et en pleine nuit. Plus de cinq cents personnes furent arbitrairement arrêtées et détenues. Parmi eux se trouvaient quelques-uns de mes collègues de travail. Le gouvernement fédéral avait décidé d'exploiter la crise pour tenter de briser les reins du mouvement souverainiste qui montait en puissance au Québec.

Vivre cette crise dans l'Outaouais, où le pouvoir fédéral était omniprésent et où nombre de franco-phones glissaient alors peu à peu vers l'assimilation, fut pour Claude et moi un événement marquant qui provoqua un véritable éveil, une prise de conscience profonde qui allaient déterminer nos orientations poli-tiques. Il nous devint à ce moment-là évident qu'on ne voulait pas laisser les Québécois être maîtres de leurs choix et que la voie de la liberté passait par la souve-raineté. J'étais arrivée dans l'Outaouais en m'identi-fiant comme canadienne-française. Je le quitterais en m'identifiant à jamais comme Québécoise.

Après avoir complété, dans les derniers soubresauts de ces terribles événements politiques, mon stage à l'ACEF, je retournai à Québec pour y finir mes études à l'Uni-versité Laval. Claude demeura à Ottawa où son travail le retenait. J'obtins mon diplôme de baccalauréat en service social au printemps 1971.

J'eus la chance de trouver rapidement un emploi — consultante budgétaire et agente de formation à l'ACEF de l'Outaouais — qui me permit d'aller rejoindre mon mari. L'ACEF de l'Outaouais, dirigée par Jacques Leroux qui allait devenir un de nos amis et, plus tard, un collaborateur de Claude, était à cette époque une organisation militante qui n'hésitait pas à mener des actions d'éclat pour faire entendre la voix des démunis. Je me souviens en particulier de ce jour où nous sommes allés accueillir à l'aéroport d'Ottawa le ministre Claude Castonguay venu faire une tournée politique dans la région. Nous l'avons obligé à monter dans l'autobus des manifestants pour y écouter nos revendications. Le soir même, je l'affrontai au cours d'une assemblée publique. Ce fut à ce moment-là, je crois, que, pour la première fois, je songeai que faire de la politique était sans doute un bon moyen de changer les choses.

Nous nous sommes installés, Claude et moi, à Ottawa dans un logement meublé que nous louions de Campeau Corporation. C'était la première fois que nous avions des beaux meubles, notamment un vieux fauteuil particulièrement confortable que nous avons acheté et que nous avons traîné longtemps dans nos déménagements successifs. Nous retrouvions enfin une vie commune, une vie amoureuse. Nous n'étions pas certains à ce moment-là de vouloir des enfants. Nous voulions d'abord exercer nos métiers, prendre de l'expérience, acquérir de la maturité, apprendre à vivre ensemble. Malgré mon travail, j'avais alors le temps de faire moi-même ma couture et de cuisiner. Claude savait déjà me donner le coup de main qu'il faut dans le quotidien.

Je devins bientôt responsable du service animation-participation au Conseil régional de développement de l'Outaouais, alors que Claude prenait du galon chez Campeau Corporation. Nous étions le couple antinomique par excellence, lui dans le capitalisme immobilier et moi dans l'engagement social. Travailler le jour avec des délogés du centre-ville de Hull et me rendre le soir rejoindre Claude en compagnie de riches gens d'affaires dans les grands hôtels d'Ottawa ne pouvait se dérouler sans heurts. Un soir, dans un très chic restaurant où Campeau, qui m'appelait « la petite séparatiste socialiste », nous avait invités, il arriva ce qui devait arriver : le ton monta et je finis par engueuler vertement le patron de Claude sur ses positions sociales ; les tables alentour se vidèrent tellement la discussion était orageuse. Un des collègues de Claude, présent au souper, lui demanda, à la sortie : « Penses-tu avoir encore une job ? »

Oui, il en avait encore une, mais nos discussions dépassaient maintenant le cadre des théories universitaires. Nos débats prenaient une allure de plus en plus musclée et un fossé idéologique menaçait de se creuser entre nous. La revendicatrice que j'étais affrontait chaque jour le développeur immobilier qu'il était devenu. Je le mis au défi de s'engager socialement, ce qu'il accepta de faire par amour. J'en fus très heureuse. Je ne sais pas si notre union aurait survécu à un refus.

L'occasion se présenta bientôt pour lui de passer de la parole aux actes.

Il existait à l'époque une véritable crise de l'information francophone dans la région. Outre Radio-Canada, les seules sources d'information étaient le quotidien *Le Droit*, installé à Ottawa, et une station de radio, CKCH, située à Hull. L'Outaouais avait un roi et maître : Oswald Parent, puissant ministre des Travaux publics du gouvernement Bourassa. Les ondes locales lui étaient totalement acquises. Il n'y avait guère de place pour ceux qui pensaient autrement. Par exemple, l'émission *Si on s'y mettait*, diffusée à Radio-Canada, trop revendicatrice aux yeux du ministre Parent, avait été retirée des ondes après avoir mis au jour des pratiques illégales dans la construction d'édifices. Plusieurs journalistes et citoyens engagés de la région avaient alors émis l'idée de fonder une télévision qui donnerait un autre son de cloche.

J'ai décidé avec d'autres militants d'enfourcher ce cheval de bataille. Nous avons suggéré de mobiliser la population en créant une coopérative. C'est ainsi qu'est née la Télévision coopérative de l'Outaouais, mieux connue sous le nom de CTVO. Claude m'accompagna à la grande réunion de fondation de cet organisme. Il en sortit président ! Le projet était bien ficelé au niveau des idées et des objectifs, mais il fallait trouver le financement pour le rendre vraiment viable. Ce fut la tâche à laquelle Claude s'attela. Pendant des mois, appuyés par Gilles Poulin — alors professeur à l'Université du

Québec à Hull et futur directeur général de CTVO — et accompagnés d'un groupe surprenant de contestataires, d'idéalistes, de progressistes, mais aussi de pragmatistes, notamment Jean-Baptiste Bouchard, Réjean Mathieu, Rosaire Cormier, Serge Boucher, Nicole Morneau, Jacques Lamarche et Damase Bérubé, nous fîmes le tour de l'Outaouais francophone, des deux côtés de la rivière, recueillant des adhésions de dix à cent dollars la part, élaborant un projet crédible de programmation qui répondait aux besoins exprimés par la communauté. Claude se présenta ensuite devant un CRTC ébahi, qui avait alors à sa tête un libéral notoire, Pierre Juneau, homme de culture et frère de Michèle Juneau, une proche de René Lévesque. Le permis fut accordé. Pierre Juneau, dans son jugement favorable, dit: « Nous vous accordons le bénéfice de la confiance », ce qui nous changeait du traditionnel « bénéfice du doute » ! CTVO, sous l'indicatif CFVO, émit en 1974 et resta dans toutes les mémoires de la région comme LA chaîne de télévision qui a enfin diffusé des émissions d'information sans langue de bois.

Mon capitaliste de mari avait engagé son premier combat social sans savoir encore que toute sa vie venait de basculer. À Hull était né un « banquier de gauche ». Certains, dans le milieu des affaires qu'il fréquentait, le prenaient pour une espèce de rêveur qui avait néanmoins le don des affaires. Il était déjà, comme moi, un souverainiste avoué à une époque où cela suscitait toutes les vexations possibles. Le diable avait alors un nom: il se nommait René Lévesque.

Notre équilibre idéologique était trouvé, notre complicité amoureuse, renforcée. Jusqu'à aujourd'hui, cet équilibre et cette complicité ont prévalu dans toutes nos décisions. À force de débattre au fil des jours de nos idées, nous comprenions que l'économie et le social qui s'affrontaient, et s'affrontent encore régulièrement dans le Québec d'aujourd'hui, peuvent se réconcilier dans un courant d'action qui met l'une au service de l'autre. Cela s'appelle la social-démocratie.

En 1973, je fus nommée, grâce je crois à mon engagement social et à mon enracinement dans la collectivité, directrice générale du tout nouveau CLSC de Île-de-Hull, Pointe-Gatineau-Touraine. À vingt-quatre ans, après avoir travaillé à l'ACEF et au Conseil régional de développement, après avoir aussi coordonné pendant quelques mois le cours de technique en assistance sociale au Cégep de Hull, je devenais une des premières femme à diriger un CLSC.

À peu près au même moment, Claude fut désigné vice-président pour le Québec de Campeau Corporation. Ses nouvelles fonctions l'obligeaient malheureusement à déménager à Montréal. Je décidai malgré tout de rester dans l'Outaouais. Nous avons donc repris nos déplacements hebdomadaires, faisant chacun notre tour le voyage à Montréal ou à Ottawa pour passer nos fins de semaine ensemble.

La semaine, je m'investissais avec passion dans mon travail au CLSC et je faisais mes premières armes en tant que «patronne». C'est là que je développai ma technique de travail, celle que je garderai toujours et qui m'a bien réussi: faire preuve d'empathie, écouter, analyser pour comprendre les problèmes, travailler en équipe, décider, puis passer à l'action et surtout ne pas compter son temps. Mais, peu à peu, je me rendis compte qu'il y avait un trou dans ma formation. Je savais comment gérer du personnel et comment planifier les activités. Je maîtrisais les tenants et les aboutissants des questions sociales. Mais les connaissances économiques et les techniques budgétaires me faisaient cruellement défaut.

En juillet 1974, je pris donc la décision de quitter Hull, de rejoindre mon amoureux à Montréal où nous venions d'acheter une maison à l'Île-Bizard, et de m'inscrire à la maîtrise en administration des affaires à l'École des Hautes Études Commerciales (HEC).

Chose décidée, chose faite? Ce ne fut pas si simple! Nous étions en juillet, le cours commençait en septembre, les inscriptions étaient closes. Je pris le téléphone et parlai au directeur. Ce dernier, voulant attirer aux HEC plus d'étudiants issus du secteur social, me proposa de passer un examen puis de me soumettre à une entrevue avec deux professeurs de l'école universitaire. C'est ainsi que je me retrouvai devant mes deux «sélectionneurs»: Raymond Bachand, qui prendrait plus tard la succession de mon mari à la direction du Fonds de solidarité de la FTQ avant de devenir ministre libéral, et Michel Archambault, futur responsable de la chaire de Tourisme à l'UQAM.

D'abord placée sur une liste d'attente, je fus finalement acceptée comme étudiante aux HEC où j'eus le bonheur d'avoir Jacques Parizeau comme professeur. J'ai suivi deux de ses cours. C'était un véritable plaisir de l'écouter, car il était un remarquable pédagogue. Il arrivait en classe — jamais en retard — avec deux ou trois pages de notes qu'il étalait sur son pupitre et, à partir de ces quelques feuillets, il nous donnait trois heures de cours absolument passionnantes. Il possédait la rare capacité d'expliquer très simplement des choses extrêmement complexes et de les illustrer d'exemples tirés de son expérience acquise comme conseiller de divers premiers ministres. Et surtout, quelle compréhension de l'économie, de la société québécoise et du monde ! Rares étaient les étudiants qui s'absentaient de ses cours. Nous étions tous fascinés par ce grand bourgeois qui aurait pu occuper des fonctions bien mieux rémunérées, mais qui avait choisi de se consacrer à l'enseignement. Fascinés, mais également intimidés, car si, par malheur, quelqu'un posait une question bête pendant son cours, il le lui faisait clairement sentir. Il le faisait avec élégance, mais tout le monde comprenait. Aussi avions-nous intérêt à préparer soigneusement nos questions, à ne pas dire n'importe quoi.

Souvent, le vendredi après-midi, il abandonnait la stricte distance maître-élèves qu'il maintenait dans ses cours et se joignait à nous pour aller prendre une bière. Quel plaisir nous ressentions alors de poursuivre, avec cet homme généreux de ses vastes connaissances, nos discussions de manière plus informelle et de le questionner sur ce qu'il avait vécu et sur ce qu'il pensait!

J'obtins mon diplôme en 1976. Entre-temps, j'aurai eu l'occasion d'affronter Jacques Parizeau comme membre du comité de grève lors d'une grève étudiante en 1974, d'abandonner le patronyme Marois-Blanchet pour reprendre mon nom de naissance au cours de l'Année internationale de la femme en 1975, d'être présidente de l'Association étudiante des MBA-HEC avec l'appui de mes camarades Jean-Marcel Denis, Maurice Fortin, Romain Corbeil, Hélène Julien et Robert Shareck, de travailler à la mise sur pied des services d'urgence sociale et à l'étude de l'avant-projet de loi sur la protection de la jeunesse pour le Centre des services sociaux du Montréal métropolitain et, enfin, de faire un premier voyage en Europe.

Ce fut à l'été 1976. Claude étant trop pris par ses affaires pour se permettre des vacances, je partis avec mon frère Denis à défaut de faire le tour du monde dont Claude et moi avions rêvé. Avec les moyens du bord, nous déplaçant en Renault 5 — seul luxe du voyage —, dormant n'importe où, nous parcourûmes la France, l'Espagne, l'Italie, la Yougoslavie et la Grèce. Deux Québécois en vadrouille! Cette «expédition» fut une pure merveille de dépaysement et de découverte de peuples différents et de nouvelles cultures... Enfin, je pouvais souffler un peu après une dizaine d'années d'études, de travail et d'engagement social intenses. C'est à ce moment-là que j'ai appris qu'il faut savoir couper parfois les ponts avec la vie que l'on mène, sinon le ressourcement est pratiquement impossible.

De retour de voyage et mon MBA en main, je décrochai un emploi, que j'occupai pendant deux ans, au Centre des services sociaux du Montréal métropolitain : responsable Enfance-Jeunesse. À ce titre, il me fallait coordonner le travail de huit directeurs et directrices de services, tous âgés d'au moins quinze ans de plus que moi, et de quelque trois cents employés aux services d'aide à l'enfance. Nous devions prendre en charge, d'une façon ou d'une autre, des milliers d'enfants que la vie avait frappés durement.

Alors même que je commençais à assumer ces nouvelles — et plutôt lourdes — responsabilités pour une jeune femme de vingt-sept ans, la campagne électorale de l'automne 1976 fut déclenchée. Ébranlé par une longue succession d'affrontements avec les syndicats et de crises sociales et linguistiques, inquiet de la montée du Parti Québécois devenu opposition officielle à l'élection de 1973, le gouvernement Bourassa avait décidé de jouer son va-tout et de tenter d'obtenir un troisième mandat. Sa défaite serait cuisante, le premier ministre lui-même étant battu par le poète Gérald Godin dans son comté de Mercier. Le 15 novembre 1976, le Parti Québécois prenait le pouvoir.

Contrairement à la campagne électorale de 1973 où nous avions travaillé fort (livrant, entre autres, le poulet le jour de l'élection) pour notre ami Jean-Baptiste Bouchard, candidat du Parti Québécois dans Hull contre Oswald Parent, Claude et moi, trop accaparés par nos emplois respectifs qui sollicitaient toutes nos énergies, avons fort peu participé à cette campagne de 1976. Pourtant, le 15 novembre au soir, nous sommes allés dans le comté de l'Assomption pour fêter l'élection de mon ex-professeur, Jacques Parizeau. Comme j'étais heureuse ! Et comme j'étais heureuse qu'une femme, Jocelyne Ouellette, ait enfin battu le parrain de l'Outaouais ! Par deux voix seulement, mais battu c'est battu ! Cela représentait pour moi la plus belle des victoires de cette campagne !

L'arrivée au pouvoir du Parti Québécois suscita chez moi, comme chez Claude et chez la plupart de nos amis, beaucoup d'enthousiasme et d'espoir. J'avais envie d'être de cette « aventure » qui s'annonçait captivante. Je tentai ma chance en envoyant une lettre avec mon curriculum au cabinet du ministre Pierre Marois — que j'avais connu à l'ACEF et pour qui j'avais de l'admiration — mais son équipe était déjà complète. Je poursuivis donc mon travail à Montréal qui, du reste, me passionnait.

Et puis, deux défis se présentèrent bientôt qui allaient retenir toute mon attention : l'un professionnel, l'autre personnel.

Le gouvernement du Parti Québécois adopta sans tarder une nouvelle loi sur la protection de la jeunesse. C'est Pierre Marois qui fut appelé à piloter cette importante réforme. Il décida de créer un groupe multidisciplinaire de spécialistes du milieu afin de la mener à bien, et l'Association des Centres des services sociaux du Québec me délégua pour la représenter dans ce groupe. S'ajoutant à mon travail régulier, cette tâche était vraiment gigantesque. Au prix de longs mois d'efforts, grâce aussi, je crois, à un plan de travail, inusité à l'époque dans le milieu social, que j'avais convaincu mes collègues d'adopter, nous avons réussi une implantation sereine et efficace de cette nouvelle loi qui touchait plus ou moins trente mille enfants.

Parallèlement, Claude et moi décidions à l'automne 1977 que le moment était venu de fonder une famille. Je devins rapidement enceinte. Nous étions réellement fous de joie. Je demeurai active pendant ma grossesse et tout semblait se dérouler à merveille. Toutefois, au bout de huit mois de bonheur, mon gynécologue commença à s'inquiéter et m'hospitalisa pour me faire passer des tests. Quatre jours plus tard, j'appris la mort intra-utérine de mon bébé sans qu'il soit possible d'établir la cause du décès. Comme je croyais qu'il fallait procéder par césarienne pour enlever le fœtus, j'étais persuadée que je ne pourrais pas avoir plus de deux enfants. J'étais désespérée. Mon médecin me rassura : je pourrais non seulement enfanter à nouveau mais accoucher naturellement. Mais quelle douleur et quelle tristesse de perdre son enfant ! Heureusement, la peine que nous avons ressentie, Claude et moi, ne nous éloigna pas l'un de l'autre. Au contraire, elle raffermit encore plus nos liens.

Peu après ce douloureux événement, Claude se vit offrir le poste de directeur général de la Société de développement des coopératives que le gouvernement de René Lévesque venait de créer conjointement avec le mouvement coopératif. Mais pour cela, il devait déménager à Québec. Je pris la décision de le suivre, persuadée que je dénicherais un poste dans le réseau des affaires sociales. Sept années après l'avoir quittée pour aller étudier, travailler et vivre dans l'Outaouais puis à Montréal, je revenais donc dans ma ville natale.

Je présentai ma candidature à un poste de direction au ministère des Affaires sociales. Malgré mes deux diplômes et mon bagage de gestionnaire, d'abord comme directrice du CLSC de Hull puis à la direction des services à l'enfance pour la région de Montréal, on me fit gentiment savoir que je n'avais aucune chance et que le profil recherché dépassait mon expérience. Je dois avouer que je le pris plutôt mal.

Un de mes amis, Maurice Fortin, devenu conseiller politique au cabinet du ministre des Finances, Jacques Parizeau, me proposa alors le poste d'attachée de presse de Monsieur Parizeau, qui était vacant. Maurice en avait parlé à Monsieur Parizeau qui se souvenait de moi comme d'une bonne étudiante et qui se réjouissait de mon arrivée. Il faut dire que j'avais eu de bons résultats dans ses cours. J'étais loin d'être convaincue qu'une telle fonction me convienne, qui plus est aux finances. Mais la perspective de me joindre ainsi à l'équipe souverainiste de René Lévesque et l'aura de Jacques Parizeau finirent par l'emporter.

Le jour même où j'acceptai de devenir l'attachée de presse de Jacques Parizeau, je reçus un appel du ministère des Affaires sociales : on m'offrait finalement le poste qu'on m'avait refusé au préalable ! Mais ma parole était donnée.

C'est ainsi que je fis mes premiers pas dans la vie politique.

CHAPITRE 2

Les années Lévesque

U N LUNDI APRÈS-MIDI de septembre 1978, je me retrouvai donc assise aux côtés de Jacques Parizeau dans sa « limousine » — un bien grand nom pour une berline GM plutôt ordinaire —, en route pour Québec à partir de la ville de Repentigny dans son comté de l'Assomption.

Je savais à quel point cet homme, que tout le monde surnommerait bientôt avec respect « Monsieur », était à la fois impressionnant et exigeant. Ce n'était donc pas sans une certaine appréhension que j'entreprenais cette collaboration avec ce géant de l'économie et de la politique.

Pendant ce premier trajet, il me questionna longuement sur ma vie, voulant en fait surtout connaître mes obligations car, me précisa-t-il, « chacun, dans mon cabinet, doit être disponible 24 heures sur 24 ». Comme j'étais au fait de la réputation du ministre des Finances qui travaillait lui-même avec acharnement chaque jour jusque tard dans la nuit, je m'étais préparée à cette demande et n'eus pas de mal à lui donner les assurances requises. Il m'affirma, par ailleurs, très sûr de lui, qu'il ne considérait pas qu'un cabinet soit d'une grande utilité, «une seule personne bien équipée intellectuellement pouvant suffire à la tâche». Lorsque plus tard, en 1994, il deviendrait premier ministre du Québec, il appliquerait cette conception en limitant radicalement la masse salariale des cabinets de ses ministres et en réduisant à un maximum de cinq personnes, attaché de presse compris, le nombre de conseillers qu'ils pouvaient embaucher.

Travailler dans l'entourage immédiat de Jacques Parizeau signifiait se conformer à certaines normes vestimentaires — tenue stricte et classique pour tous, pas de pantalons pour les femmes et, cela va de soi, cravate obligatoire pour les hommes — et surtout éthiques : fidélité totale, discrétion absolue et rigueur intellectuelle constante. Mais contrairement à ce que prétendent beaucoup de personnes qui n'ont jamais œuvré à ses côtés, Jacques Parizeau, bien qu'il soit un puits de science et de culture générale et en dépit de sa connaissance exceptionnelle des rouages de la société québécoise, est un homme qui sait écouter. Lui-même jamais avare d'idées nouvelles, il avait — et a conservé — cette capacité rare de s'étonner et de s'enthousiasmer sans cesse, de saisir au vol les concepts novateurs, de les retourner dans tous les sens comme un boulanger le fait avec sa pâte, pour les modeler en politiques utiles et applicables au Québec.

Appartenir à son cabinet nous plaçait aux premières loges de tout ce qui bougeait au gouvernement. Fort de la confiance que lui accordait René Lévesque, Jacques Parizeau en menait large, mais sans ostentation, préférant rallier les gens à ses thèses par sa force de conviction. Les journalistes, que j'abordais en néophyte, le craignaient pour certains, l'adulaient en secret pour d'autres, mais le respectaient tous.

Aux côtés de Serge Guérin, Daniel Paillé, Claude Séguin, Maurice Fortin et Denise Malouin, j'apprenais donc le métier d'attachée de presse de ministre, et quel ministre! J'étais studieuse, tentant d'être informée sur tout, de tout lire et de ne jamais donner d'avis non fondé. Mais je ne me sentais pas très à l'aise. Habituée à gérer moi-même du personnel, à prendre des décisions, je me retrouvais un peu trop dans un rôle d'exécutante. Et puis, les relations de presse n'étaient vraiment pas ma tasse de thé. J'appris toutefois à connaître le monde des médias, ce véritable quatrième pouvoir qui exerce une influence publique indéniable.

Je vécus avec Jacques Parizeau ma première expérience de préparation d'un budget. Le ministère des Finances se délectait littéralement du processus budgétaire. Tous les fonctionnaires impliqués, du plus humble au sous-ministre, prenaient des airs de conspirateurs et cultivaient pendant des semaines les faux et les vrais secrets qui allaient mener au document culte. Puis

Monsieur Parizeau — l'un des rares à rédiger entièrement de sa main le budget — s'isolait pendant trois ou quatre jours et revenait avec l'icône ! Nous avions une fonction publique exceptionnelle, notamment aux finances, mais, pour Jacques Parizeau, ce n'était pas à elle d'établir les priorités du gouvernement. Le Parti Québécois avait été élu avec un programme que les ministres se devaient de mettre en application. Cette façon d'affirmer la primauté du politique sur l'administratif me marquerait profondément pour l'avenir.

De la fréquentation professionnelle de Jacques Parizeau, je retirai aussi une connaissance du Québec et du Parti Québécois que je n'avais pas. Je l'accompagnais dans ses tournées — à cet égard, il était parmi les ministres les plus actifs — et j'organisais ses conférences de presse en région, de même que ses rencontres avec les associations péquistes dans les comtés. Nous étions constamment sur la route. C'est avec lui que j'ai compris l'extrême importance du contact avec les militants, mais aussi avec la population. Cet homme, qu'on disait aristocrate, était pourtant très à l'aise avec tout le monde. Il adorait revêtir son habit de professeur et se révélait un excellent pédagogue.

J'ai aussi appris de lui une façon de travailler en équipe que je conserverais : après chaque réunion du conseil des ministres ou des comités auxquels il siégeait, il nous informait de ce qui était utile pour nos dossiers ; en retour, nous devions lui remettre tous les vendredis un bilan de ce que nous avions accompli pendant la semaine, bilan que son chef de cabinet avait la tâche de compiler. Il partait avec ce document et nous savions, dès le lundi matin, qu'il avait tout lu pendant la fin de semaine.

Je n'étais pas très à l'aise avec la fonction, mais je l'étais avec l'homme. L'énorme capacité de travail de Jacques Parizeau m'impressionnait mais, en même temps, elle suscitait chez moi certaines craintes. Je prenais conscience que la politique ne pouvait bien se faire qu'en s'y adonnant totalement, à la façon de Monsieur Parizeau. Toutefois, je constatais que ce métier — car il s'agit bien d'un métier en soi — est si dépendant de facteurs externes (la conjoncture, les médias, les controverses internes, etc.) qu'il s'exerce dans des conditions imprévisibles. Je me posais la question : étais-je faite pour la politique, moi qui aime tant prévoir et planifier ?

Par ailleurs, à peine un mois après mon arrivée au cabinet, j'étais de nouveau enceinte. Je n'en avais dit mot à personne. Je me sentais capable de mener ma grossesse à terme tout en travaillant fort. De plus, dans ma tête de femme autonome, il me semblait évident que cela relevait de mes seules responsabilités. Mais en mars 1979, je dus quitter mon poste pour préparer mon accouchement. Je fis alors parvenir ma lettre de démission à Serge Guérin, chef de cabinet de Jacques Parizeau.

Le 20 juin 1979, je mis au monde notre fille, Catherine, dans le bonheur le plus total.

Après dix années de mariage et de pérégrinations entre Québec, Hull et Montréal, après cette perte d'un premier enfant qui nous avait tant peinés l'année précédente, l'arrivée de Catherine fut un moment très important dans la vie de Claude et dans la mienne. Nous formions déjà un couple, inattendu peut-être, mais solide. Désormais, nous venions de fonder une famille. Cette naissance me redonna encore plus d'énergie et de volonté pour m'engager à changer les choses. Nous avions maintenant un enfant, une fille, à laquelle nous devions laisser un héritage collectif. Il ne s'agissait plus seulement de Claude et de moi, mais d'un bébé qui aurait vingt ans en l'an 2000 : quelle société, pour ne pas dire quel pays, pourrions-nous lui léguer ?

Aussi me sentis-je rapidement incapable de rester chez moi. J'acceptai un contrat de l'Association des centres des services sociaux du Québec. C'était en quelque sorte un retour à mes premiers amours car il s'agissait, dans le cadre de l'implantation de la nouvelle loi de protection de la jeunesse, de mettre en place à travers tout le Québec les nouvelles directions régionales. Or, pour moi, les services à l'enfance ont toujours représenté l'un des fondements de toute société qui aspire à la justice et à l'égalité des chances, car c'est à partir du tout jeune âge que s'établissent les discriminations qui affectent ensuite les êtres humains tout au long de leur vie. Cela est particulièrement déterminant pour les femmes car l'on sait que, depuis des siècles, la différence de statut entre les filles et les garçons prend justement racine dans la prime jeunesse.

Bien qu'il me laissât beaucoup de temps pour ma famille, ce contrat me tint tout de même passablement occupée tout l'été et une bonne partie de l'automne 1979. Je devais notamment me rendre à Montréal quelques jours chaque semaine. À quelques reprises, mon jeune frère Marc m'accompagna dans ces allers-retours. Il s'occupait du bébé pendant que je tenais mes réunions et, à intervalles réguliers, je venais allaiter la petite !

À ce moment-là, j'avais plus ou moins fait mon deuil de la vie politique. Il me semblait que mon avenir professionnel était désormais tracé : je m'occuperais de la gestion des problématiques sociales.

Pourtant, dès novembre 1979, la politique me rattrapa. Lise Payette, ministre d'État à la condition féminine, venait de perdre son chef de cabinet, Jacques Desmarais : elle me proposa le poste. Je connaissais un peu Lise Payette pour l'avoir rencontrée dans l'antichambre de l'Assemblée nationale qui était à la fois le lieu de tous les chassés-croisés entre les ministres, leurs chefs de cabinet et leurs attachés de presse et un épouvantable fumoir car, alors, péquisme rimait souvent avec tabagisme ! Je commençai par refuser cette offre totalement inattendue. Il n'y avait pas si longtemps que j'avais quitté un cabinet ministériel, je ne souhaitais pas a priori me rembarquer dans une telle galère. Et puis, dis-je à Lise Payette, « je ne suis pas féministe ».

« Ce n'est pas grave, me répondit-elle, car avec moi c'est une question de semaines avant que tu ne le deviennes ! »

J'en discutai avec mon mari qui avait eu affaire à Lise Payette lors de la mise sur pied de la Société de développement des coopératives. Il me fit l'éloge de sa détermination, de sa grande compétence, de sa farouche volonté de faire progresser la cause des femmes et celle du Québec. La personnalité de Lise Payette et la perspective de mesurer mes qualités de gestion à la réalité du monde de la fonction publique me firent finalement changer d'idée. J'acceptai l'offre de la ministre qui, tout compte fait, me donnait la chance extraordinaire, à trente ans, d'être de celles qui pouvaient influencer l'avenir du Québec.

Je ne regrettai pas mon choix. Je n'eus aucun mal à prendre ma place au sein de son équipe, constituée de fortes personnalités — je pense entre autres aux Jean Fournier, Nicole Messier et Michèle Bussière — avec qui ce fut immédiatement agréable et enrichissant de travailler. De plus, si le cabinet de Lise Payette fonctionnait avec les mêmes valeurs de loyauté, de discrétion et de travail inlassable que celui de Jacques Parizeau, la ministre se différenciait par son style de leadership. Elle laissait beaucoup plus d'espace à son chef de cabinet et à ses collaborateurs. Une véritable complicité s'installa rapidement entre nous et se poursuivit tout au long des quelque dix-huit mois où j'eus le plaisir de la côtoyer. Cette complicité était fondée sur un partage clair et productif de nos rôles respectifs : elle, planifiant les grandes thématiques et assumant leur poids politique et leur dimension publique, moi, assurant leur exécution et agissant dans l'ombre pour lever les obstacles.

De surcroît, comme j'habitais alors une maison située à deux pas de l'Assemblée nationale, notre domicile servait régulièrement, le soir, de lieu de rendez-vous des membres du cabinet, ministre comprise, ce qui contribua à nous rapprocher. Je me souviens qu'il m'arrivait souvent alors de me mettre au fourneau pendant que Lise Payette faisait sauter notre fille Catherine sur ses genoux!

C'est au cabinet de Lise Payette que je pris toute la mesure du pouvoir politique, de sa capacité de changer les choses, de son influence énorme sur la vie des gens, mais aussi de l'abnégation nécessaire pour l'exercer avec un véritable sens du service public. Nous faisions tout cela dans la bonne humeur et dans le rire, sans nous prendre, surtout pas la ministre, pour des Jeanne d'Arc. Pourtant l'ouvrage ne manquait pas et ce n'était pas tous les jours facile. Les résistances au changement surgissaient de partout, y compris au sein du Conseil des ministres.

Le ministère de la Condition féminine était un ministère d'État qui ne disposait pas d'une grande fonction publique; en fait, tout au plus une vingtaine de personnes. Il avait ceci de particulier que son mandat était horizontal dans la machine gouvernementale, avec la mission de passer toutes les législations au crible pour s'assurer qu'elles respectent le principe de l'égalité entre les hommes et les femmes, ce qui ne faisait évidemment pas plaisir à tout le monde. La ministre présidait également le Comité ministériel de la condition féminine, où siégeaient plusieurs collègues. Elle était aussi membre du Comité des priorités du gouvernement.

Bien que, dans son livre intitulé *Le pouvoir ? Connais pas !*, Lise Payette ait beaucoup parlé des écueils qu'elle a rencontrés dans un monde politique encore trop dominé par les hommes, elle détenait en réalité un grand pouvoir et elle a réussi à changer en profondeur la société québécoise. La mise en œuvre de sa politique « Égalité et Indépendance » a représenté une contribution majeure à la cause des femmes. L'influence décisive qu'elle exerça sur la réforme du Code civil mérite à elle seule d'être saluée. Le Code civil, notamment dans ses articles concernant le divorce et les droits des enfants, reflétait à l'époque l'inégalité chronique entre les sexes et était on ne peut plus défavorable aux femmes. Il fallait le modifier, ce qui était loin d'être évident. La partie ne fut pas facile. Lise Payette parvint quand même à convaincre le ministre de la Justice, Marc-André Bédard, plutôt conservateur mais sensible aux arguments de sa collègue. Elle réussit aussi — malgré l'opposition farouche de certains avocats et de tout le milieu des affaires — à implanter l'assurance-automobile. Pour faire cela, il fallait sûrement connaître le pouvoir !

Il faut reconnaître à Lise Payette d'avoir ancré dans l'appareil gouvernemental d'abord, dans l'esprit populaire ensuite, cette idée puissante qu'il est normal que les femmes soient égales en tout, tout le temps, sans quémander. Elle a non seulement ouvert de nouveaux chemins aux femmes québécoises, mais elle les a pavés. Notre société ne serait pas celle qu'elle est aujourd'hui sans son action. Mais nos mémoires sont si déficientes que nous oublions vite celles et ceux qui nous ont fait avancer.

La préparation du référendum sur la souveraineté, que René Lévesque s'était engagé à tenir au moment de son élection le 15 novembre 1976, occupa évidemment une bonne partie de nos énergies.

La conjoncture n'était guère favorable. Une récession d'envergure internationale s'annonçait. La situation économique du Québec était pour le moins inquiétante. Les négociations avec les syndicats du secteur public avaient été difficiles, surtout avec la CSN, dirigée par Donatien Corriveau qui fut par la suite candidat du Parti libéral du Québec, et avec la CEQ, présidée par Yvon Charbonneau, qui deviendrait plus tard député libéral à Québec, puis à Ottawa. Sur la scène politique, nous avions d'abord profité d'une embellie quand Pierre Elliott Trudeau, ennemi juré des « séparatistes », avait perdu le pouvoir à Ottawa en mai 1979 aux mains de Joe Clark qui forma un gouvernement conservateur minoritaire. Nous y avions vu un signe encourageant pour notre option car, pour la première fois depuis des lunes, le vote québécois en faveur des libéraux fédéraux avait fortement chuté. Par ailleurs, le chef du Parti libéral du Québec — lequel constituait l'opposition officielle — qui allait être appelé à diriger le Comité du NON, Claude Ryan, malgré ses grandes capacités intellectuelles, souffrait d'un manque de charisme évident. Malheureusement, Joe Clark se fit renverser bêtement en janvier 1980 et Trudeau reprit le pouvoir en février.

Entre-temps, en novembre 1979, le gouvernement québécois avait rendu public son Livre blanc sur la souveraineté-association et, le 20 décembre, il déposa le libellé de la question référendaire à l'Assemblée nationale. Pour certains militants péquistes, la pilule fut dure à avaler. Alors qu'ils se battaient pour l'indépendance du Québec, on leur proposait une démarche visant à obtenir de la population un mandat pour négocier avec le Canada une souveraineté assortie d'une association. Mais l'autorité du premier ministre Lévesque était forte. Toute la mouvance souverainiste se rangea rapidement en ordre de bataille, même un Pierre Bourgault qui allait se donner sans compter à la campagne référendaire.

La campagne pour le OUI prit un envol remarquable dès le début de l'année 1980. L'appui à la souveraineté augmentait. Cependant, tous les sondages indiquaient une constante : l'appui des femmes à la souveraineté était faible. À peine 33 % d'entre elles se déclaraient ouvertes à l'aventure. Les stratèges du parti établirent donc qu'il fallait mettre à contribution la force de conviction de Lise Payette afin de rallier et mobiliser les voix des femmes. Elle fut par conséquent invitée à faire partie, avec les Jacques Parizeau, Pierre Marois, Camille Laurin, Marc-André Bédard et Bernard Landry, de la garde rapprochée de René Lévesque qui mènerait le combat en première ligne. Lise Payette accepta sans hésitation et entraîna tout son cabinet dans cette lutte titanesque.

Il me fallut donc, pendant les longues semaines qui précédèrent le référendum du 20 mai 1980, avec mon équipe, établir les contacts avec les groupes de femmes et planifier la formidable tournée du Québec que Lise Payette avait décidé de réaliser avec l'aide, aussi, de quelques artistes. Je garde le souvenir de folles journées de travail où je devais résoudre d'inhabituels problèmes logistiques, par exemple trouver un piano Steinway pour Sylvain Lelièvre ou envoyer mon père dans sa petite Renault 5 jaune chercher Félix Leclerc et l'amener dans une assemblée à Québec.

Lise Payette fit au bas mot deux cents discours durant cette campagne. Elle était increvable. Ses yeux brillaient d'un enthousiasme débordant. Elle était absolument radieuse et, surtout, convaincante comme aux beaux jours où elle animait *Appelez-moi Lise*, la populaire émission de télé. Elle savait dédramatiser les arguments des fédéralistes et faire rire ses auditoires. « Levez la main, demandait-elle, celles et ceux qui ont vu les Rocheuses ! » Peu de mains se levaient. « Levez la main, maintenant, celles et ceux qui sont allés aux États-Unis ! » ajoutait-elle. Des centaines de mains se levaient. « Eh bien ! La souveraineté ne vous empêchera d'aller ni dans les Rocheuses ni sur les plages américaines ! » concluait-elle au grand plaisir des assemblées.

Le 8 mars, Journée internationale des femmes, Lise Payette annonça, lors d'un grand rassemblement féministe qui se déroulait à la salle du Plateau à Montréal, que les manuels scolaires québécois seraient bientôt vidés de leurs contenus sexistes. Elle dénonça en particulier un manuel de français qui présentait deux prototypes, Guy et Yvette, le premier accomplissant des tâches «viriles», la seconde s'adonnant à des travaux «féminins»: laver la vaisselle et faire le ménage. Elle en profita pour attaquer le conservatisme de Claude Ryan en cette matière et, emportée dans son élan oratoire, elle ajouta cette phrase malheureuse: «Il est plutôt du côté des Yvette, en ayant lui-même épousé une.» Or attaquer Madeleine Ryan, femme réservée certes mais très engagée socialement, n'était pas de mise.

Le lendemain, la journaliste Renée Rowan rapporta ces propos dans le quotidien *Le Devoir*. Le 11 mars, Lise Bissonnette, éditorialiste au *Devoir*, dénonça Lise Payette. Après un éloge de l'œuvre de Madeleine Ryan, elle écrivit: «À travers elle ce n'est pas Claude Ryan qu'elle insulte mais toutes ces femmes qu'elle a charge de défendre, auxquelles, avant même de chercher à leur faire miroiter sa définition de l'indépendance, elle doit apporter le plus possible d'égalité.» Cet éditorial contribua fortement à la formation du «mouvement des Yvette pour le NON» qui rassembla, quelques semaines plus tard, douze mille femmes au Forum de Montréal.

Je n'étais pas au Québec au moment de la publication de cet éditorial. J'avais pris une semaine de vacances

pour aller assister à Paris à l'assemblée générale annuelle
de l'Association France-Québec. C'est Yves Michaud,
alors délégué général du Québec à Paris, qui me remit
l'éditorial de Lise Bissonnette en me disant de ne pas
m'en faire car, une nouvelle chassant l'autre, l'épisode
serait vite oublié.

À mon retour, je trouvai une Lise Payette découragée, blessée, défaite. Elle partit passer une semaine en
Floride et nous nous demandions ce qui allait résulter
de cette retraite. Le chef de cabinet adjoint, Jean Fournier,
me proposa qu'à son retour Pierre Bourgault, en qui
elle avait confiance, soit appelé à la rescousse pour lui
remonter le moral. Lise Payette repartit en campagne.
Toutefois, quelque chose s'était brisé en elle. Au cabinet, nous redoublions d'attention à son égard et nous
l'entourions. Je constatais à quel point la vie politique
peut être dure.

Plusieurs analystes prétendront, après la défaite des
souverainistes au référendum du 20 mai 1980, que
l'histoire des Yvette a joué un rôle déterminant dans
celle-ci. Ce n'est pourtant ni juste ni exact. Car si l'appui au OUI dans les sondages fléchit légèrement à la
suite de ce triste épisode, c'est le fameux discours du
premier ministre du Canada, le 8 mai, à Verdun qui
marqua le coup.

Un Trudeau en grande forme, trémolos dans la voix
et fort de l'appui des soixante-quatorze députés québécois qu'il venait de faire élire la même année à Ottawa,
déclara: «Un NON équivaut à un OUI, on met nos
sièges en jeu là-dessus.» Si les Québécois votaient NON,

il s'engageait à réaliser des changements fondamentaux au Canada pour que les Québécois obtiennent l'égalité et la reconnaissance de leurs droits.

À partir de cet instant, tout bascula. Le camp du OUI vit fondre ses appuis dans les jours qui suivirent. Nous le sentions sur le terrain. Ce fut une triste fin de campagne dans nos rangs et nombreux furent les souverainistes qui soupirèrent de soulagement, le soir du 20 mai, en constatant que nous avions au moins atteint les 40 % de voix. Ce soir-là, au centre Paul-Sauvé rempli d'une foule triste et accablée, l'immense scène n'accueillit que le chef, René Lévesque, sa conjointe Corinne Côté et... Lise Payette, qui avait tenu à y être, grande dame jusqu'au bout.

Le «À la prochaine!» de René Lévesque apaisa la douleur ressentie mais ne cicatrisa pas la plaie. Cette période fut très dure à vivre, pour moi comme pour bien d'autres personnes qui s'étaient données corps et âme à ce combat. Je me demandais si j'avais toujours envie de m'investir en politique avec tous les sacrifices que cela représentait.

Au lendemain de la défaite référendaire, je repris néanmoins le collier comme directrice du cabinet de Lise Payette. Il était hors de question pour moi d'abandonner cette femme remarquable.

À l'automne 1980, lors d'une réunion à huis clos du cabinet organisée pour planifier le travail à venir,

Lise Payette nous mit dans un secret lourd à porter. Elle nous annonça sa ferme volonté de ne pas être candidate aux prochaines élections, qui pouvaient être déclenchées à tout moment puisque le Parti Québécois entrait dans sa cinquième année de mandat. La ministre nous demanda la discrétion la plus totale et, chose étonnante dans ce microcosme de rumeurs qu'est un gouvernement, tout le monde tint parole. Personne ne se douterait de cette décision avant qu'elle ne la rende elle-même publique en mars 1981. C'est dire à quel point nous avions du respect et de la tendresse pour « notre patronne ».

En octobre 1980, René Lévesque procéda à un remaniement de son Conseil des ministres. Tout en conservant la responsabilité du ministère de la Condition féminine, Lise Payette se vit confier le ministère du Développement social, auparavant occupé par Pierre Marois. Dans une optique féministe, cette jonction était idéale car elle donnait à notre équipe des moyens supplémentaires pour réaliser des changements.

Au cours de cette période, même si elle avait décidé de se retirer bientôt de la vie politique, Lise Payette fut très active dans tous les dossiers qui relevaient de ses responsabilités. Ce n'était guère facile pour elle car, au sein du gouvernement, certains ministres lui tenaient encore rigueur de la défaite référendaire dont ils la rendaient responsable.

C'est au cours de cette période que j'eus, pour la première fois, affaire directement à René Lévesque. Lise Payette était en voyage à l'étranger lorsque Claire

Bonenfant, présidente du Conseil du statut de la femme, exigea de rencontrer le grand patron. Bien qu'elle eût des sympathies manifestes pour le Parti Québécois, Claire Bonenfant, assumant ses responsabilités, ne se gênait pas à l'occasion pour critiquer publiquement le gouvernement et, c'est le moins qu'on puisse dire, elle irritait parfois René Lévesque. Aussi me téléphona-t-il pour me demander de lui préparer une note solide en vue de cette rencontre : « Pas de fioritures, me précisa-t-il, deux pages, du contenu ! » Je m'exécutai rapidement et je reçus, événement d'une rareté notable, les félicitations et les remerciements personnels du premier ministre. Je crois bien que c'est à ce moment-là qu'il me découvrit.

En mars 1981, René Lévesque annonça la tenue des élections pour le 13 avril suivant. Comme prévu, Lise Payette fit savoir qu'elle ne demanderait pas un renouvellement de son mandat de députée. J'entrevoyais avec plaisir une pause bien méritée après dix-huit mois d'intense activité aux côtés de ma ministre hyperactive ; d'autant plus méritée, d'ailleurs, que j'en étais au huitième mois d'une nouvelle grossesse !

Mais c'était sans compter avec la destinée. Le Parti Québécois était alors à la recherche intensive de candidatures féminines, ce qui n'était vraiment pas chose facile. À la demande de Lise Payette, je participais moi-même à cette prospection, sans grand succès. Peu de femmes semblaient disposées à répondre à l'appel. Il y avait bien à Québec Louise Beaudoin dont notre ami Claude Plante, alors responsable des communications pour la région de la Capitale-Nationale, préparait l'entrée en scène comme candidate vedette dans La Peltrie. Or, à dix jours de l'assemblée d'investiture dans ce comté, Louise Beaudoin décida finalement de ne pas se présenter. Ce désistement constituait une véritable catastrophe pour le Parti Québécois de la région de la Capitale qui se retrouvait avec une seule autre candidature féminine, celle de Monique Cloutier. Sur sa propre suggestion, Claude Plante se vit confier par René Lévesque la mission de me convaincre de faire le saut en politique active.

C'est ainsi que par un beau samedi matin nous vîmes arriver à la maison notre ami Claude qui me fit part de son mandat en me laissant une heure pour prendre ma décision. Il me fit valoir en particulier que le comté de La Peltrie, représenté depuis 1976 par le député péquiste démissionnaire Louis O'Neil, était considéré comme « sûr » pour le parti. Franchement, je ne l'avais pas vu venir. Je croyais en l'action politique comme instrument pour changer la société, mais je ne m'étais pas imaginée faisant du porte à porte pour devenir députée. « Si tu crois vraiment en l'action politique, plaida mon mari qui participait à la rencontre, tu ne peux pas laisser cela aux autres sans jamais mettre la main à la pâte. Et puis, ajouta-t-il, persuadé comme moi que le Parti Québécois se dirigeait vers une défaite, tu t'en vas directement dans l'opposition. Ce sera une bonne école pour toi et, puisque le comté est situé à Québec, tu pourras plus facilement concilier vie parlementaire et vie familiale. » Pendant que nous discutions, le téléphone sonna. C'était René Lévesque qui avait décidé de mettre lui-même un peu de pression : « Madame Marois, il faut faire le pas. J'ai besoin de femmes comme vous ! »

Claude Plante repartit avec ma réponse positive pour aller l'annoncer sur-le-champ à un Jean-Claude Scraire, responsable régional de l'organisation électorale, plutôt ébahi. Et pour cause. Quelques minutes auparavant, mandaté par l'organisateur en chef du parti, Michel Carpentier, il venait de convaincre une autre femme, Nicole René, chef de cabinet du ministre Denis Lazure, de se présenter à la même assemblée d'investiture !

Je me retrouvai donc en campagne pour remporter l'investiture dans La Peltrie car, au PQ, personne ne l'a jamais facile ! Outre Nicole René, je devais affronter un fervent militant du comté. Bien que brève, la « course » fut virulente. Je n'ai jamais craint le combat, mais j'ai toujours détesté et détesterai toujours me battre dans ma propre famille politique où chaque coup porté fait très mal et se retrouve vite, de surcroît, dans les médias qui se délectent de nos affrontements.

En dépit des difficultés, grâce, entre autres, au soutien public que m'apportèrent la candidate pressentie avant moi, Louise Beaudoin, et plusieurs militants, notamment Rose et Gérard Lahaie, Camille et Dominique Rony, Robert Thibault, Louise Carpentier, Diane Paquet, Alain L'Hérault, Jean-Louis Jobin et Aline Sauvageau, je fus choisie candidate du parti au second tour. Je m'empressai de rallier les organisateurs de mes adversaires en leur proposant des postes majeurs dans mon équipe car, pour moi, la politique consiste à additionner les énergies et les volontés et non à les soustraire. Notamment, je recrutai Jacqueline Dallaire, l'organisatrice en chef de l'un de mes adversaires, qui devint ma fidèle collaboratrice comme responsable de mon bureau de comté pendant tout mon mandat.

Puis j'entrepris, sur le thème « Faut rester forts! » choisi par notre parti, la campagne électorale, la première des nombreuses campagnes que j'aurais l'occasion de mener dans ma vie, avec son lot d'assemblées, de visites à domicile, de porte à porte, de poignées de main. Je découvris que je me sentais à l'aise dans ce rôle — sans doute mon côté « travailleuse sociale » qui se réveillait — et que j'aimais vraiment ce contact privilégié avec la population. Dès ce moment-là, je fus appelée à prendre l'engagement au nom du Parti Québécois de créer des services de garde en milieu scolaire.

À la surprise générale, surtout à celle des médias qui avaient — ce ne serait pas la dernière fois — enterré prématurément le Parti Québécois, nous remportâmes, le 13 avril 1981, une victoire éclatante : 49,2 % des voix ! Après nous avoir infligé une défaite référendaire cinglante, à peine un an après avoir refusé de faire le pas vers la souveraineté, l'électorat québécois reportait au pouvoir le parti qui la prônait !

J'étais élue députée de La Peltrie. À trente-deux ans, je faisais partie du petit contingent de femmes qui allaient entrer à l'Assemblée nationale.

Comble de bonheur, le 24 avril, onze jours après mon élection, j'accouchai à la maison — avec la complicité de notre merveilleux médecin de famille, Bertrand Gagnon, qui était accompagné d'une sage-femme — de notre premier fils que nous appelâmes Félix, du nom d'un meunier de Baie-Saint-Paul qui nous avait accueillis dans son moulin et dont le personnage nous avait, Claude et moi, fascinés.

J'étais fière de ma victoire et j'étais déterminée à ajouter ma pierre à l'édification d'un Québec plus juste et plus libre. Mais, malgré les spéculations des médias, je n'envisageais absolument pas d'être nommée au Conseil des ministres. Plus modestement, je réfléchissais avec calme à ma nouvelle fonction de députée et à l'organisation de mon bureau de comté. Surtout, j'essayais de prendre un peu de repos après cette campagne électorale conduite tambour battant et enceinte.

René Lévesque allait en décider autrement! Quand je reçus un appel de Jean-Roch Boivin qui me dit: « Monsieur Lévesque aimerait te voir à dix heures demain matin à son bureau et te demande de n'en parler à personne », je compris que mes projets venaient de basculer. Dans les circonstances, ça ne pouvait signifier qu'une nomination au Conseil des ministres. Effectivement, René Lévesque me demanda le lendemain de prendre la relève de Lise Payette au ministère d'État à la Condition féminine, ce qui impliquait aussi une participation au Comité des priorités. Il s'informa par la même occasion du moment de la journée qui me serait le plus propice pour la cérémonie d'assermentation afin de ne pas déranger l'allaitement de mon bébé. En fait, j'irais à l'assermentation avec Claude qui s'était muni d'un téléavertisseur en cas d'urgence.

J'étais consciente de chausser de grands souliers. Malgré mes doutes sur ma capacité à assumer ces responsabilités — doutes que je ressentis chaque fois que l'on m'attribua un nouveau ministère —, j'acceptai avec enthousiasme et fierté ce poste que le premier ministre me confiait. J'avais fait le choix de l'engagement politique. Il me fallait aller au bout de cette décision. Pour avoir dirigé le cabinet de ce ministère, je savais à quel point la tâche de ministre de la Condition féminine était rude et parsemée d'embûches. À cette époque, les femmes qui occupaient ce poste étaient perçues comme des empêcheuses de tourner en rond par les autres ministres et par la fonction publique. Il nous fallait faire preuve de beaucoup de détermination et d'une vigilance constante. Je confiai la direction de mon cabinet à une féministe aguerrie, ancienne candidate du Parti Québécois dans Outremont, Nicole Boily.

Ma première grande bataille comme ministre de la Condition féminine survint rapidement. Elle ne m'opposa pas à mes collègues du gouvernement, mais au mouvement « Pro-vie » contre l'avortement. Le gouvernement avait en effet décidé d'introduire — enfin ! — des cours d'éducation sexuelle à l'école à compter de septembre 1981. Menés par le mouvement « Pro-vie », les adversaires de cette mesure, pourtant justifiée et plus que nécessaire, élevèrent un tollé aussi bruyant que surréaliste. Les arguments les plus irrationnels furent invoqués, du bénitier jusqu'à l'enfer.

Comme il s'agissait de valeurs fondamentales, je décidai d'affronter publiquement ces opposants qui n'acceptaient même pas la prévention en matière de sexualité et qui préféraient condamner des centaines de jeunes filles à des grossesses non désirées et à des accouchements malheureux au nom de leurs principes. Mon attitude me permit de rallier non seulement les féministes mais aussi une large majorité de l'opinion publique dans ce débat qui dura tout au long de l'automne 1981.

Au même moment, un drame politique qui allait avoir de graves répercussions pour le Québec se joua à Ottawa.

Le premier ministre du Canada, Pierre Elliott Trudeau, avait convoqué une conférence fédérale-provinciale sur la Constitution. En dépit de l'état de faiblesse dans lequel se retrouvait le Québec à la suite du référendum, son gouvernement n'avait pas le choix d'y participer ou non. En prévision de cette conférence, le Québec avait conclu quelques mois plus tôt un accord avec sept autres provinces qui les engageait à réclamer des pouvoirs supplémentaires.

Or, dans la nuit du 4 au 5 novembre — qui passera à l'histoire sous le nom peu glorieux de « la nuit des longs couteaux » —, les sept premiers ministres provinciaux renièrent l'accord qu'ils avaient signé avec René Lévesque et s'entendirent en secret avec Jean Chrétien, émissaire de Trudeau, sur le rapatriement de la Constitution, une Charte des droits de la personne et une formule d'amendement qui privait désormais le Québec de son traditionnel droit de veto. Le Québec se retrouvait plus isolé que jamais et Trudeau triomphait. De retour à Québec, René Lévesque déclara avec colère: « Le Québec a été honteusement trahi. »

Le chef n'était pas seul à être furieux. À son exemple et à son instigation, le Parti Québécois tout entier ne décolérait pas. Les délégués au 8e Congrès du parti, qui se déroula au mois de décembre suivant ces événements, manifestèrent leur indignation en éliminant du programme toute référence à une éventuelle association avec le Canada et en se prononçant, contre l'avis de René Lévesque — qui après avoir soulevé les militants cherchait maintenant à les calmer —, en faveur d'une élection référendaire qui permettrait à une majorité d'élus de déclarer l'indépendance sans tenir un référendum. Avec les représentants de La Peltrie, je votai en faveur de cette proposition, ce qui me valut de me faire réprimander vertement par René Lévesque, avec d'autres ministres qui avaient voté dans le même sens.

Fortement mis en minorité par le congrès, René Lévesque exigea la tenue d'un vote par correspondance sur cette question auprès de l'ensemble des membres du parti, menaçant de démissionner si les décisions du congrès n'étaient pas renversées. Confrontés à l'inimaginable départ du père fondateur du Parti Québécois, ses membres lui donnèrent raison à 95 %. Le chef remporta ce que plusieurs surnommèrent avec ironie son « renérendum » et rétablit son autorité sur le parti.

Le calme revint pour quelque temps dans le parti comme au gouvernement. Mais ce coup de force victorieux de René Lévesque portait en lui les prémisses de graves divisions à venir.

L'année 1982 s'ouvrit sur de sombres perspectives. Une grave crise économique — la plus importante depuis celle des années 1930 — frappait de plein fouet le Québec comme l'ensemble des pays industrialisés. Les fermetures d'entreprises se multipliaient. Les pertes d'emploi atteignaient des niveaux record. Les contraintes budgétaires étouffaient le gouvernement.

Ce fut dans ce contexte que se déroula un Conseil des ministres très pénible où le gouvernement décida, malgré l'opposition de quelques ministres, qu'il n'avait pas d'autre choix que de réduire les salaires des employés de la fonction publique pour éviter une plus grande détérioration des finances publiques et pour aider ceux que la crise malmenait le plus. Le ciel nous tombait sur la tête ! Ces compressions fatidiques provoquèrent, bien entendu, une levée de boucliers des travailleurs de la fonction publique. Mais René Lévesque, appuyé par ses ministres seniors, convainquit le Conseil des ministres et la guillotine s'abattit. La rupture était malheureusement consommée, pour des années à venir, entre le mouvement syndical et le Parti Québécois.

En septembre 1982, René Lévesque procéda à un remaniement de son Conseil des ministres. Il m'enleva le titre de ministre d'État et, par conséquent, ma place au Comité des priorités, pour me nommer simplement ministre déléguée à la Condition féminine. Toutefois — je ne saurai jamais si c'était un prix de consolation ou s'il y croyait vraiment —, il me bombarda vice-présidente du Conseil du trésor en me faisant valoir que c'était là que se prenaient les décisions budgétaires importantes, y compris celles qui touchaient les programmes d'égalité. Je me sentis humiliée, mais je décidai d'avaler la pilule et de rester pour poursuivre la mise en œuvre des politiques qui me tenaient à cœur.

Les représentantes des groupes de femmes reçurent pour leur part ce remaniement comme un camouflet et ne se gênèrent pas pour le faire savoir publiquement. Des membres de mon cabinet décidèrent de démissionner pour manifester leur désaccord. Quelques mois plus tard, ma directrice de cabinet, Nicole Boily, me quitta. Je la remplaçai par Nicole Stafford, féministe intelligente et déterminée, qui avait été responsable de l'implantation des politiques d'égalité dans un ministère. Ce fut le début d'une longue complicité et d'une solide amitié qui a franchi l'épreuve du temps et dure encore aujourd'hui, avec une femme exigeante, compétente, bonne vivante par ailleurs. Avec elle, que cela fasse du bien ou du mal à mon ego, j'aurai toujours, sans complaisance aucune, l'heure juste.

Ayant réorganisé mon équipe, je me mis résolument à la tâche pour faire avancer certains dossiers prioritaires pour les femmes. Il s'avéra rapidement que René Lévesque avait eu raison quant à l'influence que me conférait la vice-présidence du Conseil du trésor. Je parvins en moins d'un an, sans créer d'antagonismes et par un patient travail de conviction auprès de mes collègues du Conseil des ministres, en dépit aussi des difficultés financières que le gouvernement traversait, à faire adopter certaines mesures décisives dont je demeure particulièrement fière, notamment : l'introduction, à la demande du mouvement syndical, d'un congé parental dans les conventions collectives des employés des secteurs public et parapublic, la féminisation des termes de ces mêmes conventions et la modification des règles de construction des nouvelles écoles de façon à prévoir des locaux pour les services de garde.

Par ailleurs, malgré mes responsabilités ministérielles et familiales, je restais une militante, ne refusant autant que faire se peut aucune assemblée de comté, aucun brunch de financement et collaborant activement aux divers comités du parti. Comme nous n'avions aucun député dans l'Outaouais, le premier ministre m'avait aussi confié la responsabilité de cette région. Je fus aidée dans cette tâche par une de mes conseillères, Manon Guitard.

Nous menions donc, mon mari et moi, une vie plus qu'active. Nous avons quand même décidé d'avoir un troisième enfant, François-Christophe, qui vint embellir notre existence le 12 octobre 1983. Deux mois plus tard, nous déménagions dans le comté de La Peltrie que je représentais à l'Assemblée nationale, à Saint-Augustin-de-Desmaures, dans une demeure que nous avions conçue avec nos amis Claude Plante et Émile Gilbert.

Il est certain que si j'ai pu mener une carrière politique et avoir des enfants, c'est que — héritage de mes parents sans nul doute — j'ai une grande résistance physique et une grande capacité de récupération. C'est aussi parce que mon mari et moi avons développé très tôt l'habitude de partager les tâches domestiques. Bien sûr, nous avions en plus les moyens d'avoir de l'aide à la maison. J'ai toujours pensé que la meilleure politique nataliste consiste d'abord à sécuriser les familles face à leur avenir. Cela dit, comme toutes les mères qui travaillent à l'extérieur — je n'ai pas honte de l'avouer —, j'étais régulièrement assaillie par les remords et par un sentiment de culpabilité.

À la fin de novembre 1983, quelques semaines après la naissance de notre troisième enfant, Pierre Marois quitta la vie politique, à la surprise générale. René Lévesque, tout en me maintenant dans ma fonction de vice-présidente du Conseil du trésor, me demanda de prendre la relève comme ministre de la Main-d'œuvre et de la Sécurité du revenu.

Ce ministère, alors le quatrième en importance dans l'État, a en outre la responsabilité de la Régie des rentes. Je passais en quelque sorte des ligues mineures aux ligues majeures. J'avais eu deux questions en six mois à l'Assemblée nationale, j'en avais maintenant deux par jour. Je me souviens de mon attachée politique, Michèle Doyon, qui faisait de longues recherches pour m'y préparer.

J'ai ressenti immédiatement un réel plaisir à diriger ce ministère. Je m'engageai sur-le-champ dans une réforme majeure de l'aide sociale, réforme qui concernait surtout les jeunes bénéficiaires. De nombreuses études démontraient en effet que les jeunes qui bénéficiaient de l'aide sociale pendant plus de trois années risquaient, dans des proportions très élevées, d'en demeurer dépendants toute leur vie. Aussi proposai-je que les prestations accordées aux jeunes de moins de trente ans servent désormais à leur réinsertion sur le marché du travail et dans la société : soit par un retour aux études, soit par des stages en entreprise, soit par du travail communautaire.

Toutefois, cette réforme de la sécurité du revenu exigeait l'accord du gouvernement fédéral pour être mise en œuvre. C'est avec Monique Bégin, ministre fédérale de la Santé nationale et du Bien-être social, que je négociai. À ma grande surprise, les discussions se déroulèrent fort bien et, en 1984, menèrent à la signature d'une entente fédérale-provinciale à cet effet. Il fallait sans doute deux femmes — aux antipodes sur la question nationale, mais progressistes toutes deux — pour réussir à s'entendre malgré les relations qui existaient entre nos deux gouvernements.

Je pris ensuite « ma besace » » et fis le tour du Québec afin d'expliquer que ces nouvelles mesures n'étaient pas, comme certains le prétendaient, des politiques de droite mais bien des gestes progressistes visant la réinsertion, dans le monde du travail, des jeunes frappés par la récession économique. Car cette réforme soulevait de nombreux débats, au caucus des députés et au Conseil des ministres comme dans la société en général. Elle suscitait les réactions négatives d'une partie de ces jeunes habitués à toucher une rémunération sans aucune obligation en retour. Un petit nombre d'entre eux, rassemblés au sein du Regroupement autonome des jeunes (RAJ), me suivait dans mes déplacements et manifestait sans arrêt. Ils déclenchèrent une grève de la faim devant la Bourse de Montréal, puis dans mes bureaux montréalais. L'Assemblée des évêques, de même que Jean-Claude Leclerc, éditorialiste au quotidien *Le Devoir*, leur accordèrent leur appui.

Surprise, je leur manifestai mon inquiétude. J'appelai notamment moi-même le porte-parole de la Conférence des évêques pour lui dire : « Si cette grève de la faim entraîne la mort de quelqu'un, vous l'aurez sur la conscience ! » Il envoya un de ses adjoints convaincre les jeunes de mettre un terme à cette action démesurée. J'étais certaine d'aller dans la bonne direction. Les nouvelles mesures à l'aide sociale ont rejoint quelque vingt-cinq mille jeunes et la réforme s'est avérée un franc succès.

En fait, cette réforme s'inscrivait dans un ensemble de moyens: le lancement de Corvée-Habitation, un vaste programme d'accès à l'habitation, de concert avec les patrons, les syndicats, le mouvement Desjardins et plusieurs ordres professionnels, la mise en œuvre du plan Biron d'aide aux PME, le soutien à la création du Fonds de solidarité de la FTQ dont le bouillant Louis Laberge était le grand promoteur et dont mon conjoint deviendrait le premier président-directeur général. Ces mesures que le gouvernement Lévesque avait imaginées et réalisées avec ses partenaires permirent au Québec de sortir plus rapidement de la récession que le reste du Canada.

J'entrepris également, toujours en 1984, d'élaborer une grande réforme du régime des rentes mais ne pus, faute de temps, la mener à terme. C'est un gouvernement libéral qui, quelques années plus tard, mettrait finalement en application les principales idées que j'avais émises à cet égard. Toutefois, la transférabilité des régimes privés de pension d'un emploi à l'autre que je souhaitais instaurer pour favoriser la mobilité de la main-d'œuvre ne fut jamais reprise par aucun parti.

Mais au-delà des réformes que l'on peut entreprendre, être ministre de la Main-d'œuvre et de la Sécurité du revenu, c'est être confrontée au jour le jour à de multiples problèmes, grands ou petits, qui touchent l'ensemble des secteurs d'activité. Je me souviens en particulier d'une visite que je dus faire à la Reynolds de Baie-Comeau pour tenter de comprendre les tenants et aboutissants d'une chicane qui divisait les électriciens et les monteurs d'acier. Je me souviens aussi de la déréglementation du secteur de la coiffure à laquelle nous avons procédé en 1984 et qui me valut la réception, en guise de protestation, de centaines d'enveloppes contenant des mèches de cheveux! Vingt-cinq ans plus tard, le barbier d'un de mes amis m'en veut toujours.

Tout au long de l'année 1984, je consacrai l'essentiel de mes énergies à défendre et à réaliser la réforme de l'aide sociale. Au même moment, une crise politique sans précédent se développait au sein du Parti Québécois entre ceux que les médias qualifiaient de « révisionnistes » et ceux qu'ils appelaient les « orthodoxes ».

Les élections fédérales arrivèrent pendant l'été. Dirigé par John Turner, qui avait remplacé Pierre Elliott Trudeau définitivement parti à la retraite, le Parti libéral du Canada apparaissait vulnérable face à un Parti conservateur renouvelé et à son chef, Brian Mulroney, qui s'engagea dans un fameux discours — préparé par son ami et conseiller Lucien Bouchard et prononcé le 6 août à Sept-Îles — à réintégrer les Québécois dans la fédération canadienne « dans l'honneur et l'enthousiasme ». Brian Mulroney devint premier ministre du Canada le 4 septembre 1984.

Au Conseil national du parti à la fin septembre, René Lévesque lança officiellement l'idée du « beau risque » et proposa une politique d'entente avec le gouvernement de Brian Mulroney. Le 9 novembre, douze ministres — Robert Dean, Louise Harel, Camille Laurin, Bernard Landry, Denis Lazure, Denise Leblanc-Bantey, Marcel Léger, Jacques Léonard, Gilbert Paquette, Jacques Parizeau, Guy Tardif et moi-même — signèrent une lettre publique conjointe pour renouveler leur engagement envers la souveraineté et demander au premier ministre de se prononcer fermement dans le même sens. Le 19 novembre, René Lévesque nous répondit que la souveraineté ne serait pas, d'aucune façon, un enjeu de la prochaine campagne électorale et qu'il fallait désormais la considérer comme « la suprême police d'assurance » pour notre peuple.

On connaît la suite des événements. Dans les jours qui suivirent, sept ministres — Louise Harel, Camille Laurin, Denis Lazure, Denise Leblanc-Bantey, Jacques Léonard, Gilbert Paquette et Jacques Parizeau — démissionnaient avec fracas de leurs postes de ministres, certains demeurant toutefois députés. Quelques semaines plus tard, le 19 janvier 1985, un congrès extraordinaire du parti entérinait à 65 % la nouvelle orientation de René Lévesque et mettait en veilleuse l'option souverainiste pour permettre un rapprochement avec le gouvernement de Brian Mulroney. Près de cinq cents délégués claquaient la porte du congrès pour exprimer leur dissidence. Des dizaines de dirigeants d'associations et de régions quittaient le navire. De trois cent mille membres qu'il comptait en 1981, le parti vit fondre ses effectifs de moitié.

L'impensable venait d'arriver. Le Parti Québécois vivait une scission qui l'handicaperait pour de nombreuses années. Un véritable cauchemar! Comme beaucoup de militantes et de militants, notamment le ministre Robert Dean dont j'étais proche et avec qui je préparais des tables de concertation syndicale-patronale sur le plein emploi, je n'arrivais pas à quitter ce parti, même si j'étais en désaccord avec la révision de son orientation fondamentale.

Jusqu'à la fin, j'ai espéré que René Lévesque, à qui je conservais toute ma loyauté, se ressaisisse et finisse par trouver un compromis qui résoudrait la crise. À la demande de Louis Bernard, je suis même intervenue auprès de Camille Laurin pour qu'il revienne sur sa décision de démissionner.

René Lévesque m'a toujours fascinée. C'était un homme d'une grande simplicité qui savait toucher notre fibre profonde, éveiller notre fierté comme peuple et nous inspirer. Il était doté d'une culture remarquable et d'une connaissance réelle de l'histoire. C'était un homme profondément authentique.

C'était aussi un homme qui ne s'intéressait pas à l'argent et qui détestait tout ce qui était décorum. Par exemple, quand il devait aller en France, la seule pensée des tapis rouges qu'on allait dérouler pour lui le rendait malade. Il était tout entier concentré sur le fond des choses, négligeant son apparence. Quand il partait en mission, j'espérais en secret que quelqu'un ait songé à lui apporter des chemises repassées car, pour lui, qu'elles soient froissées ou pas n'avait aucune importance. Cet aspect de sa fonction ne l'intéressait pas et il pouvait tout aussi bien, dans un moment d'inattention, écraser sa cigarette dans un pot de fleurs en pleine réception officielle !

Je n'ai jamais fait partie de sa garde rapprochée ni de son cercle d'amis. Malheureusement, je n'avais guère le temps de fréquenter les repas qui, à l'occasion, prolongeaient les réunions du Conseil des ministres. Je devais rentrer chez moi pour retrouver ma famille et m'occuper de mes petits.

Et puis, il ne faut pas oublier que j'ai surtout travaillé avec René Lévesque à partir de son second mandat comme premier ministre. J'étais alors une jeune députée et, au départ, une ministre junior. Je me sentais confrontée à un géant et, sincèrement, j'étais un peu intimidée par lui et je n'osais pas m'imposer. Pourtant, malgré mon inexpérience, René Lévesque avait une attitude accueillante. Il me laissait prendre ma place et m'écoutait, même si le dossier dont je m'occupais, celui de la condition féminine, l'agaçait toujours un peu. Mais, à cet égard, il avait été en quelque sorte « élevé » par Lise Payette. Alors il savait qu'il devait agir pour améliorer le sort des femmes et il me prêtait attention.

Bien sûr, de temps en temps, il n'hésitait pas à me bousculer. Je me souviens d'un jour où, voulant parler des organismes communautaires, j'avais utilisé l'expression « des collectifs ». Il me répondit, avec l'humour caustique qui était le sien : « Des collectifs ? Qu'est-ce que c'est que cela, des collectifs ? Ça n'existe pas, des collectifs ! » Je me disais, dans ces moments-là : « Oups ! Il faut que je lui présente les choses autrement ! »

Lorsque René Lévesque était mécontent de l'un d'entre nous, ou qu'il avait des remontrances à faire, souvent il ne le faisait pas directement et privément. C'est ce qui m'était le plus pénible. Il attendait le Conseil des ministres ou le caucus des députés, et il nous sermonnait devant les collègues. Il traitait tout le monde de cette manière. En fait, je crois qu'on devait ça à sa timidité. Il avait de la difficulté à entrer en relation avec les personnes, sauf quelques intimes.

René Lévesque était aussi un homme capable de grandes colères. Un jour, je me souviens, il s'était mis en tête d'augmenter les salaires des députés qu'il trouvait trop bas. Il avait fait préparer un projet de loi à cet effet. C'était juste avant Noël, en 1984, je crois. Ce n'était pas une hausse faramineuse, mais nous étions plusieurs à trouver insensé d'augmenter nos salaires après avoir coupé ceux du personnel de la fonction publique. Nous avons donc délégué l'un d'entre nous pour dire à René Lévesque que nous étions en désaccord avec son projet de loi et que nous voulions en débattre. Il se présenta le lendemain au caucus des députés, le col de son manteau relevé, et, sans regarder personne, il alla s'asseoir complètement au fond de la salle, au lieu de s'installer face à nous. Et là, il a fait une vraie colère, nous avertissant que cette loi passerait et que nous devions la voter, car il n'était plus question pour lui de tolérer que des députés avec des enfants aient de la misère à arriver. Il était réellement en furie et je crois bien qu'il nous aurait tous virés ce matin-là !

Mais la plupart du temps, René Lévesque écoutait ce que nous avions à dire et recherchait le consensus. Il faisait des efforts considérables pour essayer de rallier tout le monde avant de trancher. Je me souviens de réunions interminables du Conseil des ministres où les discussions se poursuivaient jusque dans la nuit. Il était surtout à l'écoute de la population. Il parcourait le Québec et, à son retour, il nous interpellait sur différents problèmes qu'on lui avait exposés. Il pouvait alors me téléphoner pour me dire : « Madame Marois, votre maudit ministère, avec ses tatillonnages, ne s'occupe pas correctement des citoyens ! » Et il me soumettait des cas précis dont il voulait que je me charge...

Ce que j'aimais beaucoup chez René Lévesque, c'est qu'il n'était ni sectaire ni dogmatique. Sensible aux opinions des gens, quand il percevait une résistance à un changement, quand il voyait que ça ne passait pas la rampe dans la population, il nous mettait en garde contre la tentation d'imposer nos idées. Il était aussi très attentif aux jeunes. Il sentait d'instinct qu'il fallait se préoccuper d'eux, les ouvrir sur le monde, et il nous en parlait très souvent : pour lui, c'était notre avenir. Les jeunes le rejoignaient profondément, dans ses tripes.

Mes relations avec René Lévesque n'ont jamais cessé de s'améliorer. Avec le temps, j'ai fini par gagner sa confiance. Je crois que j'ai acquis beaucoup de crédibilité à ses yeux au moment de la grave crise économique que nous avons traversée en 1982-1983. À l'été 1983, il m'avait confié la mission, qui allait bien au-delà de mon rôle de ministre de la Condition féminine, d'identifier ce qui irritait les gens dans notre gouvernement et de lui soumettre des recommandations à ce sujet. Pour réaliser ce dernier mandat, j'avais mis sur pied un « comité sur les irritants » qui termina ses travaux le 11 octobre. Ce jour-là, je mis fin à la dernière réunion pour me rendre directement à l'hôpital afin d'accoucher de mon troisième enfant, François-Christophe. Or, à l'époque, il régnait un tel climat de méfiance au sein du gouvernement que, pour éviter les fuites vers les médias, les documents confidentiels étaient conservés dans des valises dont seuls les ministres avaient le code d'ouverture. Ma directrice de cabinet et ma sous-ministre furent donc obligées de me suivre à l'hôpital avec la fameuse valise afin que je puisse signer les derniers documents, au grand dam de mon médecin qui voulait que je me repose. René Lévesque reçut donc le rapport qu'il attendait. J'ai alors senti qu'il avait pris la mesure de ce que je pouvais apporter. Peu après, il me confia le ministère de la Main-d'œuvre et de la Sécurité du revenu, l'un des plus importants du gouvernement, et me réintégra au sein du Comité des priorités.

À partir de ce moment-là, une réelle complicité s'installa entre nous. Je lui ai, pour ma part, toujours fait confiance et, même si je n'étais pas toujours d'accord avec lui, j'ai été jusqu'à la fin d'une absolue loyauté à son endroit.

Les derniers mois de René Lévesque comme premier ministre et comme chef du Parti Québécois, jusqu'à sa démission le 20 juin 1985, furent pénibles. Seuls l'espoir et la confiance qu'il avait dans la jeunesse lui donnaient encore du ressort. Il avait perdu plusieurs de ses meilleurs compagnons de route. Il voyait son parti se diviser. Il sentait la hargne du mouvement syndical à son endroit. Il mesurait l'impasse dans laquelle se trouvait le Québec face à l'évolution du Canada. Il essayait de continuer à gouverner, mais n'en avait plus ni la force ni le goût. Je trouvais cela d'une grande tristesse. C'était à vous déchirer le cœur.

CHAPITRE 3

Les années Parizeau

AU LENDEMAIN de la démission de René Lévesque, le Parti Québécois décida — une première dans l'histoire politique québécoise et canadienne — que son successeur, qui aurait bientôt à affronter Robert Bourassa redevenu chef du Parti libéral du Québec après une longue traversée du désert, serait élu au suffrage universel de ses membres.

Comme prévu, porté par des sondages qui le donnaient favori, Pierre Marc Johnson annonça sa candidature. Bernard Landry s'engagea lui aussi dans la course, de même que Jean Garon qui avait acquis une grande popularité comme ministre de l'Agriculture et Guy Bertrand, avocat souverainiste de Québec, l'un des fondateurs du Parti Québécois, frondeur et grande gueule, qui tentait de se positionner comme le porte-parole des « purs et durs ». Francine Lalonde — issue du milieu syndical et éphémère ministre non élue dans le dernier cabinet Lévesque, qui deviendrait plus tard une excellente députée du Bloc Québécois à Ottawa — se mit également sur les rangs.

Même si je me trouvais enceinte à ce moment-là, j'étais fortement tentée de me lancer moi aussi et de saisir cette opportunité de participer aux débats que susciterait cette course à la direction. Je voyais là une occasion de faire avancer la discussion sur le plein emploi et de faire contrepoids à Pierre Marc Johnson. Mon entourage m'encourageait à plonger, en premier lieu mon mari qui me dit : « Que risques-tu après tout ? » Fidèle à son rôle d'analyste lucide, mon amie et chef de cabinet, Nicole Stafford, me fit néanmoins la remarque que j'avais pas mal plus de chances de me casser la gueule que de gagner. « Es-tu prête à envisager de perdre avec aussi peu que 2 % des votes ? » me demanda-t-elle.

J'étais prête à courir le risque. Aussi, le 15 juillet 1985, une semaine après avoir accouché de Jean-Sébastien, le quatrième et le dernier de mes merveilleux enfants, j'annonçai ma candidature. Je m'étais entourée d'une équipe formidable, avec notamment Jacques Renaud comme organisateur, Pierre Laflamme au contenu et Marie-Jeanne Robin aux relations de presse, sans oublier bien sûr Nicole Stafford et mon fidèle compagnon qui, tout en assumant ses lourdes responsabilités au sein du Fonds de solidarité naissant, s'occupait de nos enfants. Pourtant, j'étais tout sauf la favorite. En vérité, peu d'observateurs me donnaient alors non seulement la moindre chance de gagner, mais même celle de finir dans les trois premiers.

Mon comité électoral se mit à fonctionner immédiatement à pleine vapeur et ma campagne, que la plupart des gens croyait perdue d'avance, s'amorça sur les chapeaux de roue. Je reçus l'appui des députés Louise Harel d'Hochelaga-Maisonneuve et Réal Rancourt de Saint-François. D'autres militants me manifestèrent leur soutien, notamment: Jocelyne Caron qui deviendra plus tard députée de Terrebonne, Harold Lebel, un jeune militant de Rivière-du-Loup, et Réal Ménard, futur député du Bloc Québécois. Dès le début, je multipliai les visites jusque dans les régions les plus éloignées du Québec. Pierre Marc Johnson était tellement certain de remporter la course haut la main — son organisation prétendant recueillir au moins 70 % des votes —, qu'il se refusait à tout débat entre les candidats. Mais je m'obstinai et j'obtins que des questions puissent venir de la salle lors des assemblées régionales de présentation des candidats. La course prit alors une autre tournure car, si je ne suis pas une grande oratrice, je maîtrise généralement bien les contenus et me sens plutôt à l'aise pour répondre aux questions. Pendant cette course, je n'hésitai pas à admettre que le gouvernement du Parti Québécois avait failli à sa tâche sur le front de l'emploi, ce qui me valut une remontrance publique de René Lévesque. Je pris d'ailleurs en cette matière des engagements audacieux, notamment celui d'adopter et de mettre en œuvre une politique de plein emploi. Les commentateurs de la scène politique notèrent que mes interventions apportaient une certaine bouffée d'oxygène dans le parti et obligeaient les autres candidats à sortir des lieux communs. Et puis, avec les foulards blanc et vert que mes supporteurs agitaient allégrement dans toutes les assemblées, nous mettions littéralement de la couleur dans cette course!

Ma campagne commença à porter fruit. Sur le terrain, le réseau de contacts que j'avais établi au fil des ans avec nombre d'associations féminines progressistes donnait des résultats. Le magazine *La vie en rose* m'accorda son appui. Bien que la présence d'une autre femme candidate empêchât certaines d'entre elles de m'appuyer publiquement, un nombre croissant de femmes se rallia à ma candidature. Les médias m'accordaient une couverture de plus en plus grande. Puis, coup sur coup, deux sondages vinrent confirmer ce que je pressentais. Le premier, publié dans le journal *Les Affaires*, étonna tout le monde, moi la première, car il révélait que pour le milieu des affaires, ce n'était pas Bernard Landry qui représentait, après Pierre Marc Johnson, son deuxième choix comme chef du Parti Québécois, mais Pauline Marois! Le second, mené auprès de l'ensemble de la population, me plaçait nez à nez avec Pierre Marc Johnson dans l'opinion publique quant à notre capacité de vaincre Robert Bourassa.

La publication de ces deux sondages eut sans doute une influence sur le retrait de Bernard Landry de la course à la direction. Mais ce départ ne joua guère en ma faveur puisque Bernard Landry se rallia à Pierre Marc Johnson.

Je ne me voyais pas battre Pierre Marc Johnson au premier tour mais j'espérais le talonner suffisamment pour provoquer, peut-être, un second tour. Mes espoirs se révélèrent vains. Le 29 septembre 1985, Pierre Marc Johnson fut élu chef du Parti Québécois avec 58 % des suffrages, une victoire indéniable mais moindre que ce qu'il espérait. Partie loin derrière, je terminais la course deuxième avec 21 % des voix. J'avais pris, comme on dit, du poil de la bête en tant que femme politique !

Pierre Marc Johnson dirigea le gouvernement pendant environ deux mois. Le 5 décembre 1985, après une campagne électorale exclusivement centrée sur les chefs de parti et au cours de laquelle Robert Bourassa prit le dessus, le Parti Québécois fut défait. Et quelle défaite ! Une véritable débandade ! À peine vingt-trois députés élus !

Je fus moi-même battue dans La Peltrie par Lawrence Cannon qui deviendrait, bien des années plus tard, le bras droit de Stephen Harper au Québec. Alors que le taux de participation de la population aux élections n'avait cessé de croître depuis l'arrivée au pouvoir du Parti Québécois en 1976, atteignant même les 85 % au moment du référendum de 1980, il avait subitement chuté à 75 %. Manifestement, la population, peut-être fatiguée par le rythme soutenu des réformes que nous avions menées pendant une décennie ou, plus simplement, déçue des négociations difficiles avec la fonction publique, ne nous avait pas appuyés.

J'étais atterrée. Je demeurai membre du conseil exécutif du Parti Québécois jusqu'au printemps 1987. Le parti était dans un tel état de délabrement moral, organisationnel et financier — il ne comptait plus à ce moment-là qu'environ cinquante mille membres — que je ne voyais pas par quel bout nous allions reprendre cela. En juin 1987, deux semaines après l'annonce par Brian Mulroney et Robert Bourassa du projet d'accord du Lac Meech, le congrès confirma le leadership de Pierre Marc Johnson et entérina sa « démarche d'affirmation nationale », démarche qui ne m'inspirait aucune envie de me battre. Je décidai de prendre mes distances.

Mais je ne pouvais rester inactive. C'est contre ma nature ! Aussi, ayant entre-temps déménagé mes pénates à Montréal pour y rejoindre mon mari occupé à réussir la mise en place du Fonds de solidarité de la FTQ qu'il dirigeait, je m'engageai à nouveau dans la cause des femmes, simultanément comme trésorière de la Fédération des femmes du Québec et comme consultante à la Société Elisabeth Fry qui aide les femmes ayant des difficultés avec le système de justice. À l'invitation de mon amie Lucie Fréchette, j'acceptai également des charges de cours à l'Université du Québec à Hull, retrouvant cet Outaouais où j'avais beaucoup d'amis. Je pense en particulier à Jules Fournier et Jocelyne Gadbois.

Mais le monde politique est imprévisible !

Le 1ᵉʳ novembre 1987, le fondateur du Parti Québécois mourut subitement. La disparition de René Lévesque suscita une vague d'émotion sans précédent au Québec. Se sentant peut-être un peu coupables d'avoir lâché Lévesque au moment du référendum et surtout conscients de l'apport historique de cet homme, les Québécois se pressaient en files d'attente sans fin pour lui rendre un dernier hommage. Le 5 novembre, des funérailles nationales grandioses se tinrent à la basilique de Québec. J'y assistai avec émotion.

Le décès prématuré de René Lévesque provoqua aussi une véritable onde de choc chez les souverainistes. Pour nombre d'entre eux, il constitua en quelque sorte le signal que le moment était venu de reprendre le combat, de réinvestir le Parti Québécois et d'en regagner le contrôle. Deux jours avant la mort de René Lévesque, le député-poète Gérald Godin avait d'ailleurs « parti le bal » en réclamant publiquement la démission de Johnson et le retour de Jacques Parizeau. Dans les jours qui suivirent les funérailles de Lévesque, de nombreux leaders du parti reprirent son appel. Pierre Marc Johnson, qui n'avait manifestement rien vu venir et qui avait poursuivi le voyage politique qu'il effectuait alors en France plutôt que de rentrer d'urgence au Québec pour participer à l'hommage que l'Assemblée nationale allait rendre à René Lévesque le 3 novembre, se trouva vite débordé. Sentant ses appuis fondre comme neige au soleil, il tira sa révérence comme chef de l'opposition, comme président du Parti Québécois et comme député du comté d'Anjou le 10 novembre 1987. Le député de Joliette, Guy Chevrette, fut immédiatement désigné par le caucus du Parti Québécois comme chef intérimaire de l'opposition.

Éloignée à ce moment-là, je ne pris aucune part aux péripéties qui entraînèrent la démission de Pierre Marc Johnson. Et, dans un premier temps, je me tins à l'écart du débat sur sa succession et ne joignis pas ma voix à toutes celles qui invitaient Jacques Parizeau à sortir de sa retraite politique et à assumer le leadership de notre parti. Le 18 novembre, celui-ci reprit sa carte de membre et invita tous ceux qui avaient quitté le parti au cours des années précédentes à faire de même. Plus de dix mille personnes suivirent son exemple. Le 21 décembre, il annonça officiellement sa candidature à la direction du parti.

Je connaissais bien Jacques Parizeau. Ses convictions souverainistes, de même que ses compétences économiques et financières, ne faisaient aucun doute. Je connaissais aussi ses grandes qualités humaines. Il avait toujours été un homme politique qui « parlait vrai ». J'avais beaucoup appris à son contact et sa rectitude personnelle en toute occasion était un modèle pour moi. Toutefois, j'avais des réserves sur sa candidature et je les exprimai dans une entrevue que j'accordai au journaliste Pierre O'Neil du quotidien *Le Devoir.* Critiquant son conservatisme et sa vision passéiste du rôle des femmes, je déclarai que « je ne croyais pas que Jacques Parizeau soit l'homme de la situation ».

À la suite de la publication de cette entrevue, Jacques Parizeau demanda à me rencontrer. Nous dînâmes ensemble, au restaurant Chez Pierre, le 5 février 1988. Or, non seulement manifesta-t-il la plus grande ouverture d'esprit face à mes préoccupations, mais il me proposa, d'une part, d'être sa principale conseillère dans les dossiers qui touchaient les femmes et, d'autre part, de devenir conseillère au programme à l'exécutif national du parti avec le mandat de réviser celui-ci en profondeur pour en faire un programme plus clairement social-démocrate. En somme, il me fit une offre généreuse qu'il m'était impossible de refuser. Je fis donc amende honorable et m'engageai avec enthousiasme dans son équipe.

Le 18 mars suivant, lors d'un conseil national extraordinaire tenu à Montréal, Jacques Parizeau devint le troisième président du Parti Québécois avec une ligne de conduite ferme. « Le Parti Québécois doit être souverainiste, avant, pendant et après les élections », n'avait-il cessé d'affirmer avec force tout au long de cette course à la direction qui n'en était pas vraiment une, aucun adversaire ne s'étant manifesté. À ce même conseil national, je fus élue conseillère au programme. Je m'attelai immédiatement, en étroite collaboration avec Jacques Parizeau et avec l'aide de Robert Thivierge, à la redéfinition du programme du parti en vue du congrès spécial prévu pour le mois de novembre suivant.

Entre-temps, des élections partielles furent déclenchées dans le comté d'Anjou devenu vacant par suite de la démission de Pierre Marc Johnson. Même si nos chances de l'emporter s'avéraient plutôt minces, l'occasion était belle pour le parti de se remettre sur la carte et de replacer la souveraineté au cœur du débat politique. Jacques Parizeau me demanda d'être la candidate du Parti Québécois. Je savais que la bataille serait très difficile et la perspective de la perdre m'inquiétait. Je m'engageai donc, pour la troisième fois, dans une campagne électorale. Le 20 juin 1988, mon adversaire libéral l'emporta par une faible marge. Mais j'avais fait la démonstration que je n'avais pas froid aux yeux et que, militante dans l'âme, « j'étais capable d'en prendre ».

Ce même mois de juin 1988 marqua, par ailleurs, l'entrée sur la scène politique d'un homme appelé à jouer un rôle important dans les années qui suivraient : Lucien Bouchard. Ambassadeur du Canada en France depuis 1985, il avait répondu à l'appel de son ami Brian Mulroney en se faisant élire député fédéral, sous la bannière conservatrice, dans son Lac-Saint-Jean natal.

Pendant que, sous la direction de Jacques Parizeau, nous travaillions avec acharnement à relancer le Parti Québécois, un débat politique déterminant pour l'avenir fit rage tout au long de l'année 1988 à travers le Canada : fallait-il s'engager dans un accord de libre-échange commercial avec les États-Unis ? Le gouvernement fédéral conservateur de Brian Mulroney avait fait de ce projet son cheval de bataille, même si les avis étaient plus que partagés au Canada anglais sur cette

En 1950, à un an, avec ma mère

En 1955, à ma première communion

En 1962, à treize ans, au
Collège Jésus-Marie de Sillery

L'équipe de ballon-balai de Saint-Rédempteur : où suis-je ?

En 1968, étudiante au Collège
Jésus-Marie de Sillery

En 1969, mon mariage avec Claude

En 1976, en France, avec Claude

En 1979, à la naissance de notre premier enfant, Catherine

En 1981, candidate dans La Peltrie

En 1982, avec mon fils Félix, ma fille Catherine et notre chienne Ulla

En 1982, ministre
de la Condition féminine

En 1984, à Paris, avec Claude

En 1985, avec Félix qui fait ses devoirs

En 1985, un moment de bonheur familial

En 1988, avec mon père et ma mère

En 1988, candidate dans Anjou

En 1988, avec mes parents, mes frères et ma sœur

En 1988, à Nantucket

En 2006, avec mon mari et mes enfants
©Heidi Hollinger/Studio inc.

question. Sous l'impulsion de Jacques Parizeau, qui s'était fait le défenseur de cette idée dès 1985, et de Bernard Landry qui, retourné à l'enseignement à l'Université du Québec à Montréal, multipliait les conférences en faveur de ce projet, le Parti Québécois, à l'instar du Parti libéral du Québec et en dépit de l'opposition du mouvement syndical, se prononça pour la mise en œuvre de cet accord. Nos motifs n'étaient évidemment pas les mêmes que ceux de Mulroney. Déjà, les échanges commerciaux entre le Québec et les États-Unis étaient en plein développement. Nous voyions dans cet accord de libre-échange l'occasion pour le Québec de s'affranchir encore plus de sa dépendance économique envers le Canada en diversifiant ses échanges commerciaux, facilitant ainsi son éventuelle accession à l'indépendance. Fort de l'appui des Québécois, le Parti conservateur parvint à se faire réélire le 21 novembre 1988 et à entériner l'Accord de libre-échange entre le Canada et les États-Unis qui entrerait en vigueur le 1er janvier suivant.

Quelques jours après cette élection, le 25 novembre, se tint, à Saint-Hyacinthe, le congrès extraordinaire du Parti Québécois sur le thème « Des idées claires pour le Québec ». J'y fus élue vice-présidente du parti.

Le retour de Jacques Parizeau insuffla un véritable vent de renouveau au sein du Parti Québécois. Un an après son arrivée à la direction du parti, celui-ci avait augmenté considérablement son nombre de membres et toutes les associations de comté étaient redevenues actives. Une campagne de financement nous avait permis de recueillir deux millions de dollars et de réduire quelque peu le déficit accumulé.

Toutefois, lorsque les élections générales furent déclenchées le 9 août 1989, nous savions que nos chances de les remporter étaient minces. Bénéficiant de l'appui du gouvernement conservateur de Mulroney à Ottawa et misant sur le projet d'accord du Lac Meech pour régler le contentieux Québec-Canada, Robert Bourassa paraissait bien en selle à Québec. Les libéraux nous devançaient largement dans tous les sondages et l'option souverainiste, c'est le moins qu'on puisse dire, plafonnait. Par ailleurs, les libéraux disposaient d'un « trésor de guerre » sans commune mesure avec les ressources limitées qui étaient les nôtres. Dans un contexte où prédominait dans les médias l'éloge du « fédéralisme d'ouverture » que prétendaient incarner Robert Bourassa et Brian Mulroney, le danger était grand de voir notre parti et notre option reculer à l'occasion de cette élection. Aussi nos ambitions étaient-elles relativement modestes. Nous visions à atteindre le cap symbolique des 40 % d'appuis que le projet de souveraineté avait obtenus lors du référendum de 1980.

Le 25 septembre, jour de l'élection, après une campagne électorale menée de main de maître par un Jacques Parizeau en grande forme — bien qu'il passât toutes ses nuits au chevet de sa femme atteinte d'un cancer —, nous recueillîmes effectivement 40 % des voix et fîmes élire vingt-neuf députés, soit six de plus qu'à l'élection précédente. Dans dix autres comtés, nos candidats furent battus par moins de cinq cents votes. Jacques Parizeau devint député de l'Assomption et chef de l'opposition officielle.

Par fidélité envers les gens qui m'avaient soutenue au moment de l'élection partielle dans Anjou, j'avais d'abord prévu me représenter dans ce comté. Mais à la suite du départ du député péquiste de Taillon, Claude Filion, grand ami de Pierre Marc Johnson, les membres de l'exécutif de l'association de ce comté, leur président, Luc Barsalou, en tête, avaient sollicité ma candidature avec une telle insistance que j'avais finalement décidé de m'y présenter. Je fus donc élue députée de Taillon, l'ancienne circonscription de René Lévesque sur la rive sud de Montréal, avec dix mille voix de majorité! J'avais pu compter sur de nombreux militants exceptionnels: Louisette Thériault, Martine Ouellet, Parise Cormier, Alain Morrissette, Ghislaine Pommet, Hélène et Claude Viau, la famille Richer, Michel Chamberland, pour n'en nommer que quelques-uns.

J'étais satisfaite de notre performance. J'étais surtout contente que la page ait été tournée sur les mauvais jours du Parti Québécois. J'étais heureuse de représenter un comté qui m'allait comme un gant avec sa population de jeunes familles de la classe moyenne francophone qui avait toujours été fidèle au Parti Québécois. Par ailleurs, cinq ans après l'avoir quittée, je retrouvais la vie parlementaire. À la rentrée parlementaire de novembre 1989, je devins présidente de la

Commission des affaires sociales, poste que j'occuperais jusqu'à l'élection de 1994. Je prenais donc de nouveau la responsabilité de ces questions que je maîtrisais
bien et auxquelles j'étais en mesure d'apporter une
réelle contribution.

Je n'avais jamais siégé sur les banquettes de l'opposition. Je me rendis compte que, même en assumant la
présidence d'une commission parlementaire, même en
étant porte-parole de l'opposition officielle sur différents dossiers — notamment l'environnement, l'industrie et le commerce et le Conseil du trésor — comme je
le fus au cours de ces années, je disposais de beaucoup
plus de temps que lorsque j'étais ministre. Je pus, par
conséquent, me consacrer davantage à mon comté. En
fait, je ne refusais aucune invitation et ne négligeais
aucune activité.

Il faut dire que j'avais la chance d'être particulièrement bien entourée. Pour un député, le choix de la personne qui vous représente dans le comté est essentiel.
C'est cette personne qui reçoit les citoyens, écoute leurs
doléances, parle en votre nom, planifie votre agenda,
pendant que vous siégez à l'Assemblée nationale. Il
s'agit là d'un travail à la fois ingrat et déterminant. Au
fil des ans, plusieurs personnes — Luce Rodrigue, Arlette
Dubois, Marie-Claude Martel, France Descôteaux, Josée
Jutras — ont assumé ce rôle pour moi, avec compétence
et dévouement, dans le comté de Taillon. L'une d'entre

elles, Marie-Claude Martel, dotée d'un solide pragmatisme et d'un bon sens de l'organisation, deviendra par la suite attachée politique à mon cabinet quand je serai ministre de l'Éducation, directrice du cabinet de Nicole Léger et de Sylvain Simard, puis, en 2007, ma directrice de cabinet.

Je profitai aussi de la relative liberté que me conférait mon statut de députée de l'opposition pour sillonner littéralement le Québec, jusqu'au retour au pouvoir du Parti Québécois en 1994, afin de mettre en avant le dossier de l'égalité des chances entre les femmes et les hommes qui me tient tant à cœur. Dans la perspective d'un retour au gouvernement, je voulais absolument être préparée à assurer la mise à niveau des droits des femmes dans notre société. Ainsi, pendant quatre ans, de rencontres en colloques, de forums en États généraux, je poursuivis sans relâche un travail d'animation et de réflexion pour faire avancer la cause des femmes au Québec.

Pendant toutes ces années où je parcourais les diverses régions du Québec, j'eus le bonheur de bénéficier du soutien de membres du parti qui me servaient de chauffeurs bénévoles. J'ai toujours aimé conduire moi-même mon véhicule mais il me paraissait trop dangereux de parcourir, du jeudi au dimanche, de mille à mille cinq cents kilomètres et cela, semaine après semaine.

s les mois qui suivirent les élections québécoises septembre 1989, le débat politique sur le projet d'accord constitutionnel du Lac Meech prit de plus en plus d'importance, au Québec comme au Canada, jusqu'à atteindre son apogée. La date limite fixée aux dix provinces canadiennes pour approuver cette entente arrivait en effet à grands pas.

Il faut se rappeler ce qu'était ce projet d'accord dans lequel tant Mulroney à Ottawa que Bourassa à Québec avaient mis tous leurs espoirs et qui avait puissamment contribué à leur réélection respective. Le Québec acceptait de réintégrer le cadre constitutionnel canadien « dans l'honneur et l'enthousiasme », selon les termes employés par le premier ministre fédéral Brian Mulroney, et entérinait la Constitution canadienne — ce qu'il s'était toujours refusé à faire depuis son imposition lors du coup de force de Pierre Elliott Trudeau en 1982 — en échange de cinq modifications à celle-ci : la reconnaissance du Québec comme société distincte, le droit des provinces de se retirer de certains programmes fédéraux dans des domaines de compétence provinciale et d'obtenir une compensation financière pour mettre en place leurs propres programmes, un partage des pouvoirs en matière d'immigration, la garantie qu'au moins trois juges de la Cour suprême (sur neuf) viennent du Québec et une nouvelle formule d'amendement de la Constitution qui donnerait au Québec un droit de veto sur certaines questions fondamentales.

Au Québec, une majorité de la population jugeait ces cinq conditions, sinon insuffisantes, du moins minimales. Nous eûmes un débat très difficile au sein du caucus du Parti Québécois sur l'attitude à adopter face à ce projet d'accord constitutionnel. Mais, sous l'impulsion de Jacques Parizeau et afin de prémunir le Québec contre un éventuel recul de Robert Bourassa sur ces conditions minimales, nous avons fini par appuyer une résolution de l'Assemblée nationale du Québec en faveur de cet accord.

Toutefois, l'opinion publique canadienne, attisée notamment par les critiques virulentes de Pierre Elliott Trudeau et de Jean Chrétien, considérait au contraire qu'on en faisait vraiment trop pour le Québec. Des manifestations antiquébécoises se déroulaient ici et là. On alla même jusqu'à piétiner publiquement le drapeau québécois lors d'une marche à Brockville en Ontario. À la consternation de ses députés québécois et particulièrement de son lieutenant au Québec, Lucien Bouchard, Brian Mulroney tenta de diluer le projet d'accord du Lac Meech pour rallier les provinces récalcitrantes. Il confia notamment à l'un de ses députés, Jean Charest, la présidence d'une commission d'enquête sur le bilinguisme qui, dans son rapport déposé le 17 mai 1990, recommandait que le gouvernement fédéral soit désormais responsable de la promotion du bilinguisme dans les provinces, contredisant ainsi l'esprit même de l'accord du Lac Meech. La publication de ce rapport provoqua un tollé au Québec. Le lendemain, le député conservateur François Gérin quitta son parti et annonça qu'il siégerait désormais comme député souverainiste à Ottawa.

Exaspéré par les tergiversations de son ami Brian Mulroney et ulcéré par le rapport Charest, Lucien Bouchard décida de rompre publiquement avec le premier ministre canadien et de se rapprocher des souverainistes. Le 19 mai, alors que nous étions réunis en Conseil national du Parti Québécois au Lac-Saint-Jean, notamment pour souligner le dixième anniversaire du référendum de 1980, il nous fit parvenir un télégramme depuis la Norvège où il participait à une conférence internationale en tant que ministre canadien de l'Environnement. Ce télégramme se concluait ainsi : « Votre réunion soulignera le dixième anniversaire d'un temps fort de l'histoire du Québec. Le référendum nous concerne tous très directement comme Québécois. Sa commémoration est une occasion de rappeler bien haut la franchise, la fierté et la générosité du OUI que nous avons alors défendu, autour de René Lévesque et de son équipe. La mémoire de René Lévesque nous unira tous en fin de semaine, car il a fait découvrir aux Québécois le droit inaliénable de décider eux-mêmes de leur destin. » Trois jours plus tard, il démissionna de son poste de ministre et de député du Parti conservateur pour siéger comme député indépendant. Je n'étais pas dans le secret des dieux au sujet du ralliement de Bouchard à notre cause, mais j'étais vraiment heureuse de le voir revenir au bercail.

Le 22 juin 1990, Elijah Harper, député autochtone du Nouveau Parti démocratique à l'Assemblée législative du Manitoba, s'opposa à la poursuite des travaux parlementaires sur le projet d'accord du Lac Meech, qui mourut ainsi au feuilleton. Le même jour, à Terre-Neuve, le premier ministre libéral Clyde Wells refusa de tenir le vote sur l'adhésion de sa province à l'entente. Deux provinces signèrent donc ce jour-là l'arrêt de mort de ce rêve de réconciliation fédéraliste de Mulroney et de Bourassa. Encore une fois, le Canada refusait de reconnaître et de respecter la différence québécoise.

Ce même jour, sous les applaudissements de tous les députés et après avoir serré la main que lui avait tendue Jacques Parizeau dans un élan de solidarité nationale, le premier ministre Robert Bourassa déclara à l'Assemblée nationale du Québec : « Quoi qu'on dise, quoi qu'on fasse, le Québec est, aujourd'hui et pour toujours, une société distincte, libre et capable d'assumer son destin et son développement. »

Le 25 juin, jour où se tenait cette année-là le défilé de la Saint-Jean-Baptiste à Montréal, nous fûmes plus de deux cent cinquante mille personnes à descendre dans la rue pour manifester notre colère en marchant derrière le cortège officiel sous une immense banderole proclamant : « Notre vrai pays, c'est le Québec ! »

Le rejet brutal du projet d'accord du Lac Meech par le Canada anglais provoqua un véritable séisme politique au Québec qui se traduisit, dans un premier temps, par la création du Bloc Québécois à l'été 1990. Il y avait longtemps que mijotait dans les rangs souverainistes l'idée d'ouvrir un second front à Ottawa. Le député péquiste de Lafontaine, Marcel Léger, avait proposé plusieurs années auparavant de créer un parti souverainiste qui agirait sur la scène fédérale mais René Lévesque, qui craignait la dispersion des efforts et qui jugeait plus opportun, après la défaite référendaire de 1980, de développer une alliance du « beau risque » avec les conservateurs de Mulroney, avait tué ce projet dans l'œuf. Au printemps 1990, prévoyant l'avortement du processus constitutionnel en cours, Jacques Parizeau avait relancé le projet en confiant à Bernard Landry — qui, ne s'étant pas présenté à l'élection de 1989, avait pris ma succession à la vice-présidence du Parti Québécois — la mission d'explorer secrètement cette éventualité auprès des députés fédéraux les plus nationalistes. Le terrain était donc en partie préparé et balisé.

Le 25 juillet 1990, entouré de cinq députés conservateurs démissionnaires et de deux députés libéraux qui avaient eux aussi quitté leur parti, Lucien Bouchard fonda le Bloc Québécois.

Trois semaines plus tard, soit le 13 août, à l'occasion d'une élection partielle tenue dans la circonscription montréalaise de Laurier-Sainte-Marie où, avec nombre de mes collègues, j'avais fait à quelques reprises du porte à porte, le Bloc Québécois faisait élire — une première dans l'histoire politique canadienne — un député souverainiste qui siégerait à Ottawa. Il s'agissait de Gilles Duceppe, militant de la CSN et fils du célèbre comédien Jean Duceppe, élu avec près de 77 % des suffrages !

Cette élection illustrait parfaitement le ras-le-bol des Québécois et la montée du sentiment souverainiste dans la population au lendemain de l'échec de Meech. Cet été-là, des sondages révélèrent qu'une nette majorité des électeurs voteraient OUI si un référendum était tenu sur cette question. Rétrospectivement, alors que ces événements sont aujourd'hui derrière nous, on ne peut s'empêcher de déplorer notre perte rapide de mémoire collective...

À ce moment-là, le Parti libéral du Québec lui-même paraissait changer d'orientation. Le 11 août, deux jours avant l'élection de Gilles Duceppe dans Laurier-Sainte-Marie, les jeunes libéraux du Québec avaient adopté une résolution prônant la pleine autonomie du Québec!

C'est dans ce contexte que, conformément à un accord passé avec Jacques Parizeau, Robert Bourassa créa en septembre 1990 la Commission sur l'avenir politique et constitutionnel du Québec, communément appelée Commission Bélanger-Campeau en référence à ses deux coprésidents Michel Bélanger et Jean Campeau.

Jacques Parizeau m'invita à faire partie de la délégation qui y représenterait le Parti Québécois et qui, outre lui-même, comprenait également les députés Jeanne Blackburn, Jacques Brassard, Guy Chevrette, Louise Harel et Jacques Léonard. Étaient aussi membres de cette commission des représentants du Parti libéral du Québec bien entendu, des représentants du milieu des affaires ainsi qu'un groupe de personnalités qui, rassemblées autour de Lucien Bouchard, se définissaient comme des « non-alignés » : Gérald Larose de la CSN, Serge Turgeon de l'Union des Artistes, Louis Laberge de la FTQ, Lorraine Pagé de la CEQ, Jacques Proulx de l'UPA, Claude Béland du Mouvement Desjardins, Jean-Claude Beaumier de l'Union des municipalités du Québec et Roger Nicolet des Municipalités régionales de comté. Henri-Paul Rousseau — Jacques Parizeau était particulièrement fier de la nomination à ce poste de ce président des économistes pour le OUI lors du référendum de 1980 — agissait comme secrétaire de cette commission qui comptait au total pas moins de trente-six membres chargés de proposer de nouvelles voies d'avenir politique pour le Québec après l'échec lamentable de l'accord du Lac Meech.

Les travaux de cette commission occupèrent une bonne partie de mon temps et de mon énergie tout au long de l'automne 1990 et de l'hiver qui suivit. Ce fut une période passionnante, un moment intense de grand brassage d'idées dans notre vie collective. Bouillonnant, le Québec tout entier semblait s'être mis à réfléchir sur ce que pourrait être son avenir si tous ses moyens, toutes ses ressources, étaient enfin entre ses mains. Nous reçûmes et étudiâmes des centaines de mémoires qui, dans leur grande majorité, dénonçaient la faillite du fédéralisme canadien et qui, pour la plupart, avaient de forts accents souverainistes. Ils reflétaient bien l'évolution de l'opinion publique québécoise que mesuraient les sondages. Au cours de l'hiver 1990-1991, l'appui à la souveraineté atteignit un niveau extraordinaire : près des deux tiers des Québécois et trois-quarts des francophones s'y montraient favorables!

Nous avions vraiment l'impression qu'un consensus en faveur de la souveraineté était en train de se créer au Québec. Notre sentiment fut renforcé, le 28 janvier 1991, lorsque Jean Allaire, président du Comité constitutionnel du Parti libéral du Québec, rendit public son rapport intitulé « Un Québec libre de ses choix ». À la surprise générale, il réclamait que le Québec exerce désormais sa souveraineté dans vingt-deux champs de compétence et proposait, en cas de refus du gouvernement fédéral d'accepter ce nouveau partage des pouvoirs, de tenir en 1992 un référendum sur la souveraineté! Qui plus est, malgré certaines déclarations ambiguës de son chef, Robert Bourassa, le Parti libéral du Québec, réuni en congrès au mois de mars suivant, adoptait ce rapport dans l'enthousiasme général! J'étais estomaquée de voir le Parti libéral prendre une telle orientation.

Le vent souverainiste qui soufflait sur le Québec était à ce point puissant que plusieurs, y compris parmi les membres « non-alignés » de la Commission Bélanger-Campeau, se mirent à croire que, poussé par l'opinion publique, Robert Bourassa serait amené à réaliser lui-même l'indépendance du Québec! Mais pas plus Jacques Parizeau que les autres membres de la délégation péquiste à la Commission n'ajoutaient foi à ce scénario. Nous nous méfiions du personnage et craignions — à juste titre, comme l'avenir nous le démontrerait — que Robert Bourassa ne se serve de la Commission pour diviser les souverainistes et pour gagner du temps. Nous voulions contraindre Robert Bourassa à tenir immédiatement, comme le souhaitaient alors la majorité des Québécois, un référendum sur la souveraineté. Malheureusement, malgré tous les efforts que nous avons déployés, nous avons été mis en minorité au sein de la Commission et nous avons dû nous rallier à un compromis. Il y aurait bien un référendum sur la souveraineté, mais seulement en 1992 et à la condition qu'il n'y ait pas de nouvelles offres constitutionnelles de la part du Canada, car s'il y en avait, le référendum porterait sur ces offres. Entre-temps, deux commissions de l'Assemblée nationale seraient créées : l'une pour examiner des offres éventuelles, l'autre pour préparer la souveraineté. Je deviendrais par la suite membre de cette seconde commission qui, mettant à contribution plusieurs experts internationaux, ferait un sérieux travail de recherche et de réflexion.

Mais, en définitive, le rapport final de la Commission Bélanger-Campeau, rendu public le 27 mars 1991, illustrait la division et la confusion qui prévalaient en son sein. Il était « unanimement » signé par ses trente-six membres, mais vingt-cinq d'entre eux émettaient des réserves dans pas moins de cinquante pages d'annexes !

Nous avions bien raison de douter des velléités souverainistes de Robert Bourassa. Loin de faire avancer le

Québec sur les chemins de son indépendance, il s'engagea plutôt, en 1992, dans une nouvelle ronde de négociations constitutionnelles avec le gouvernement fédéral
et les autres provinces.

Au mois d'août 1992, les premiers ministres du Canada
et des provinces, accompagnés des représentants des
nations autochtones, se réunirent en conférence cons-
titutionnelle à Charlottetown. Ils y accouchèrent d'un
nouveau projet de réforme de la constitution canadienne
qu'ils entendaient soumettre à l'approbation de la population par un référendum pancanadien.

Au Québec, dès que le contenu de cette entente fut
dévoilé, le tollé fut quasiment général. L'entente de
Charlottetown représentait un invraisemblable recul
par rapport aux cinq conditions, pourtant jugées minimales, du défunt accord du Lac Meech. Par exemple, la
reconnaissance que le Québec constituait « une société
distincte » devenait purement cosmétique. Elle était
intégrée dans une clause dite « Canada » et noyée dans
un ensemble de considérations dont certaines la con-
tredisaient. Surtout, elle ne se concrétisait dans aucun
véritable nouveau pouvoir pour le Québec.

Même les deux principaux conseillers du premier
ministre du Québec, André Tremblay et Diane Wilhelmy,
admettaient, dans une conversation téléphonique inter-
ceptée par un journaliste, que Robert Bourassa, prêt à
toutes les compromissions pour ne pas tenir un référendum sur la souveraineté, s'était écrasé et avait cédé
aux pressions de ses homologues. Pourtant, au Canada

anglais, l'opinion publique jugeait encore une fois que le Québec en recevait trop !

Menés par le duo de choc constitué de Jacques Parizeau et de Lucien Bouchard, nous partîmes donc en campagne, sur le thème « À ce prix-là, c'est NON ! », pour défaire cette entente. Je faisais partie de la direction du Comité du NON. Outre le Parti Québécois et le Bloc Québécois, le camp du NON comprenait les principales organisations syndicales et communautaires, de même que — c'était une nouveauté ! — un regroupement de gens d'affaires souverainistes présidé par Jean Campeau. Nous fûmes même rejoints dans notre combat par le Réseau des libéraux pour le NON, dirigé par l'ex-président du Comité constitutionnel du Parti libéral du Québec, Jean Allaire, et par le nouveau président de la Commission jeunesse de ce parti, Mario Dumont, qui entraient ainsi tous deux en dissidence avec Robert Bourassa. Au cours des mois de septembre et d'octobre 1992, nous avons sillonné sans répit les régions du Québec pour dénoncer cette entente à rabais qui aurait fait renoncer notre nation à toutes ses revendications historiques. Nous avons réussi notamment à prendre de vitesse le camp du OUI en distribuant, à l'instigation de Jacques Parizeau et avant que la version officielle de l'entente ne le fût, deux millions de rapports annotés par nos soins. Tous les foyers québécois en reçurent un !

Le 26 octobre 1992, au grand désespoir de Brian Mulroney et de Robert Bourassa qui voyaient leurs carrières politiques ternies et compromises par ce résultat, l'entente de Charlottetown fut massivement rejetée autant au Canada anglais qu'au Québec. Près de 57 % des Québécois refusèrent de donner leur aval à ce projet d'enterrement de leurs aspirations nationales.

Quelques mois après le rejet de l'entente de Charlottetown, le premier ministre conservateur du Canada, Brian Mulroney, abandonna la vie politique.

À l'automne 1993, Kim Campbell qui lui avait succédé déclencha des élections. L'occasion se présentait donc de mesurer la nouvelle force du mouvement souverainiste québécois sur le plan électoral. L'arrivée dans notre camp de Lucien Bouchard, sans contredit le leader politique québécois le plus charismatique depuis René Lévesque, représentait une bénédiction. Que pouvions-nous espérer de mieux ? Son ralliement à notre cause et la création du Bloc Québécois à laquelle il avait présidé, après avoir été ambassadeur du Canada à Paris puis ministre dans le gouvernement Mulroney, illustraient plus que n'importe quel discours l'incapacité du fédéralisme canadien à se renouveler et à répondre aux aspirations des Québécois. La campagne référendaire sur l'entente de Charlottetown, qui lui avait permis de déployer ses talents d'orateur, en avait fait une véritable vedette.

Mais le tout jeune Bloc Québécois, malgré la notoriété de son chef et ses réussites en matière de recrutement et de financement, n'avait pas à ce moment-là les reins assez solides pour mener à bien une campagne électorale d'envergure. Jacques Parizeau le comprit parfaitement et décida de soutenir Lucien Bouchard et son équipe de candidats. Il mobilisa les militants en présentant cette élection fédérale comme la première période d'une partie de hockey qu'il fallait à tout prix gagner avant d'entreprendre les deux suivantes : les élections québécoises qui permettraient au Parti Québécois d'arriver au pouvoir et le référendum sur la souveraineté ! Nous nous mîmes donc à l'ouvrage pour soutenir de toutes les façons possibles les candidats du Bloc. Je fis, pour ma part, campagne avec Nic Leblanc, candidat du Bloc dans un comté de la Montérégie qui chevauchait le mien.

Le 25 octobre 1993, jour des élections fédérales, fut une journée triomphale pour nous : le Bloc Québécois remporta cinquante-trois comtés au Québec, sur une possibilité de soixante-quinze, et devint l'opposition officielle à Ottawa ! Le Parti conservateur était laminé, passant de cent soixante-neuf députés avant les élections à deux seuls députés élus, dont Jean Charest dans le comté de Sherbrooke. Le nouveau Reform Party de Preston Manning s'emparait de cinquante-deux sièges, tous situés dans l'ouest du Canada. Dirigé par Jean Chrétien, le Parti libéral du Canada accédait au pouvoir, pour longtemps, avec cent soixante-dix-sept députés.

Le Canada paraissait plus divisé que jamais et la question nationale québécoise, treize ans après le premier référendum, revenait au cœur des enjeux politiques. Comme tout le monde je crois, je fus un peu surprise de l'ampleur de notre victoire, mais enchantée de la nouvelle situation dans laquelle nous nous trouvions. Tous les espoirs nous semblaient dorénavant permis. La première période était gagnée!

En septembre 1993, en pleine campagne électorale fédérale, le premier ministre libéral du Québec, Robert Bourassa, annonça son intention de quitter la vie politique dès que son parti lui aurait trouvé un remplaçant. Gravement malade et manifestement épuisé, il était de surcroît miné par l'échec de ses tentatives pour renouveler le fédéralisme canadien. Daniel Johnson fils, qui était ministre délégué à l'Administration et à la Fonction publique, de même que président du Conseil du trésor, prit sa succession comme chef du Parti libéral du Québec et comme premier ministre le 14 décembre 1993. Six mois plus tard, le 24 juillet 1994, il déclencha des élections, en plein milieu de l'été! La deuxième période commençait...

Cette fois-là, nous étions bien préparés. Forts de nos victoires remportées lors du référendum sur l'entente de Charlottetown en 1992 et des élections fédérales en 1993, notre membership et nos finances bien renfloués, notre programme politique clairement établi et centré sur le projet souverainiste, nos militantes et nos militants gonflés à bloc, nous sommes partis en campagne sur le slogan «L'autre façon de gouverner». J'étais remplie d'adrénaline et farouchement déterminée:

notre parti allait reprendre le pouvoir et réaliser enfin la souveraineté du Québec.

J'étais plus que jamais convaincue que la politique était le moyen par excellence de vraiment changer les choses. J'entrepris ma cinquième campagne électorale, pleine d'énergie et d'enthousiasme. Je déployai tous mes efforts pour assurer ma réélection dans Taillon et pour soutenir les autres candidats du Parti Québécois. Encore une fois, je fis le tour du Québec, notamment pour appuyer les candidates que j'avais contribué à recruter.

Le 12 septembre 1994, nous avons remporté les élections en faisant élire soixante-dix-sept députés contre quarante-sept pour les libéraux et un — son chef, Mario Dumont — pour un nouveau parti, formé de dissidents libéraux, l'Action démocratique du Québec. Notre progression en nombre de sièges — de vingt-neuf à soixante-dix-sept — était remarquable. Toutefois, le pourcentage des suffrages que nous avions obtenus, à peine plus élevé que celui des libéraux, était en deçà de nos espoirs. Mais, comme je le dis toujours, une victoire est une victoire ! Neuf années après la débâcle électorale de 1985, après avoir traversé des crises majeures et s'être patiemment reconstruit, le Parti Québécois était de retour aux affaires.

J'espérais bien être nommée au Conseil des ministres. J'avais fait cette campagne avec Jacques Parizeau. Je bénéficiais de sa confiance et lui de la mienne. Mais, connaissant toutes les contraintes qui pèsent sur un premier ministre quand il compose son cabinet, je ne tenais rien pour acquis. Je fus heureuse de recevoir un appel de Jean Royer, fidèle et dévoué collaborateur de «Monsieur». Le 26 septembre, Jacques Parizeau me nomma ministre responsable de la Famille et, à ma grande surprise — moi qu'on avait toujours associée aux dossiers sociaux et cantonnée en quelque sorte à ceux-ci —, ministre déléguée à l'Administration et à la Fonction publique et présidente du Conseil du trésor. «Madame Marois, me dit-il, je veux humaniser nos relations avec la fonction publique et je compte sur vous pour le faire. Vous savez à quel point est précaire la situation des finances publiques et je ne doute pas que vous saurez faire preuve de prudence dans les négociations qui s'amorcent.»

J'étais comblée à plus d'un titre. Avec la responsabilité de la Famille, je pourrais entreprendre les réformes que j'avais élaborées pendant mes années dans l'opposition. En cumulant l'Administration et la Fonction publique avec le Conseil du trésor, j'avais la lourde responsabilité de la machine gouvernementale. C'était un défi emballant. Raison de plus de me réjouir, le tiers du Conseil des ministres et la moitié du Comité des priorités étaient constitués de femmes, toutes féministes et solides dans leurs convictions.

Je formai immédiatement mon cabinet. Je nommai Nicole Stafford, ma complice de longue date, à sa direction et Marie-Jeanne Robin aux relations de presse. D'autres collaborateurs, parmi lesquels Andrée Boisvert, Pierre D'Amour et Jules Fournier, furent rapidement recrutés. Quarante-huit heures après ma nomination, j'étais pleinement fonctionnelle. Je n'avais pas de temps à perdre car la troisième période commençait...

Toute l'action gouvernementale était tendue vers un objectif : le référendum sur la souveraineté que Jacques Parizeau s'était engagé à tenir avant la fin de 1995 et qu'il souhaitait convoquer pour le mois de juin. Il ne voulait pas retarder celui-ci et courir le risque que la population se divise sur tel ou tel projet de loi ou que l'inévitable usure du pouvoir vienne compromettre l'atteinte de notre but fondamental comme cela s'était produit, selon lui, entre 1976 et 1980, avant le premier référendum. Et puis, il nous fallait aller de l'avant avec confiance. Comment convaincre la nation québécoise de franchir ce pas crucial si nous manifestions nous-mêmes des hésitations ?

Jacques Parizeau eut fort à faire au cours des derniers mois de 1994 et des premiers mois de 1995 : pour mobiliser les membres du Parti Québécois en prévision du référendum ; rédiger et présenter à l'Assemblée nationale un avant-projet de loi sur la souveraineté ; faire réaliser des études sur celle-ci ; sensibiliser la population au cours d'une vaste opération de consultations régionales — j'eus d'ailleurs la responsabilité de mettre en place, en vue de cette consultation, la commission régionale de l'Outaouais, présidée par Antoine Grégoire, ancien président de la Société d'aménagement de l'Outaouais, et celle de la Montérégie, présidée par Marcel

Robidas, ancien maire de Longueuil — qui réunit plus de cinquante mille personnes dans quelque trois cents séances publiques où furent déposés pas moins de cinq mille cinq cents mémoires; et surtout, créer la grande coalition pour le OUI réunissant le Parti Québécois, le Bloc Québécois, l'Action démocratique du Québec et les Partenaires pour la souveraineté (regroupant notamment les grandes organisations syndicales, communautaires et artistiques favorables à l'indépendance). Cette dernière opération ne se fit pas sans mal, c'est le moins qu'on puisse dire. Les tensions, polémiques et conflits de personnalités — particulièrement entre le premier ministre et le chef du Bloc Québécois — ne furent pas faciles à gérer avant que se mette finalement en place et en ordre de bataille ce que tout le monde appellerait bientôt «le camp du changement».

Pendant que se déroulaient ces grandes manœuvres préréférendaires, j'étais pour ma part aux prises avec un défi extrêmement délicat à relever. Tout en préparant la présentation des crédits pour l'année 1995 et tout en négociant avec les garderies à but non lucratif pour améliorer les salaires des travailleuses en garderie comme nous en avions pris l'engagement pendant la campagne électorale, il me fallait parvenir à une entente négociée satisfaisante avec les quatre cent mille employés de l'État québécois dont les conventions collectives étaient arrivées à échéance. Mais je n'avais pas de marge de manœuvre. Le déficit gouvernemental que nous avaient laissé les libéraux s'élevait cette année-là à 5,7 milliards de dollars. J'avais reçu le mandat, comme présidente du Conseil du trésor, de geler les dépenses de 1995 au même niveau que celles de 1994. Ce faisant, j'en avais profité pour introduire, dans un souci de responsabilisation, une nouveauté dans le financement des ministères en leur octroyant des « enveloppes fermées » globales qui permettaient désormais aux ministres d'utiliser les économies ou les surplus dégagés dans un secteur pour accroître les ressources dans un autre qui en avait besoin.

Aux yeux du premier ministre, s'entendre avec les syndicats des secteurs public et parapublic était donc une condition essentielle à réaliser avant de tenir le référendum. Or, rarement dans le passé ces négociations s'étaient-elles conclues sans affrontement et sans grève. J'eus la chance d'avoir en face de moi des leaders syndicaux — notamment Henri Massé de la FTQ, Gérald Larose de la CSN et Lorraine Pagé de la CEQ — que je connaissais bien, qui étaient souverainistes et qui se voulaient pragmatiques. Cela ne signifiait toutefois pas, j'en étais bien consciente, qu'ils étaient le moindrement disposés à négocier une entente à rabais. Il n'était pas question pour moi, par ailleurs, de les laisser partir avec la caisse et de compromettre les équilibres financiers de l'État ! Je commençai donc par les rencontrer l'un après l'autre pour leur ouvrir en quelque sorte les livres de l'État et leur présenter franchement la situation financière réelle du gouvernement. Puis les séances de négociations collectives débutèrent. Comme toujours, un véritable marathon qui, parfois, nous laissait épuisés. Je me souviens d'une nuit où, attendant avec les représentants syndicaux les résultats des négociations aux tables sectorielles, nous avons tous été pris d'un fou-rire en regardant les prédictions de Jojo Savard à la télévision! Ce ne fut pas chose facile mais à force de discussions, de rigueur et de doigté, nous sommes parvenus à conclure une entente, satisfaisante pour toutes les parties et saluée par les observateurs, au mois de mars 1995. Cette entente mettait particulièrement l'accent sur de nombreuses améliorations dans l'organisation du travail.

Le journaliste Michel David écrivait en mars 1995: «On dit souvent que les femmes qui veulent réussir en politique doivent se comporter comme des hommes. On donne toujours l'exemple de Margaret Thatcher ou de Lise Bacon. Pauline Marois démontre que ce n'est pas obligatoire [...]. Il ne faut pas s'y tromper. Mme Marois est aussi une politicienne aguerrie, qui a su naviguer habilement dans les eaux agitées du PQ. Je ne sais pas si la paix dans les secteurs public et parapublic va pouvoir résister aux prochaines négociations, mais il faut reconnaître que le climat s'est considérablement amélioré depuis l'arrivée de Mme Marois.»

Les négociations que je menai avec la fonction publique en 1995 illustrent bien le type de rapports que j'entretenais avec Jacques Parizeau: des rapports empreints de toute la confiance que nous avions développée après de longues années de collaboration politique. Ce n'étaient pas des relations d'amitié mais des relations professionnelles marquées par un respect mutuel. Il existait une belle complicité entre nous. Je crois qu'il appréciait vraiment ce que j'apportais au parti et au gouvernement et qu'il ressentait une certaine fierté d'avoir contribué à ma formation comme professeur. Mais l'époque où j'étais son étudiante était révolue depuis longtemps. Nous n'allions plus boire une bière ensemble le vendredi soir. D'ailleurs, Jacques Parizeau n'était pas familier avec ses collègues de travail. Il gardait ses distances et vouvoyait tout le monde.

L'un des aspects de Jacques Parizeau que j'appréciais beaucoup, c'est qu'il faisait confiance à ses ministres. Il leur laissait beaucoup de place, ce qui me convenait car, pour ma part, je suis toujours moins bonne quand je me sens surveillée ou contrôlée. En me confiant la présidence du Conseil du trésor, il m'avait dit qu'il n'interviendrait pas dans les négociations avec les syndicats du secteur public — ce que tous les premiers ministres avaient pourtant l'habitude de faire —, à moins que je ne le lui demande. Il a respecté sa parole. Il m'a donné un mandat et m'a fait totalement confiance. Bien sûr, je lui faisais rapport de l'évolution du dossier, mais à mon rythme. Et quand j'ai eu besoin d'aide, en particulier pour calmer Jean Garon qui, alors ministre de l'Éducation, ne partageait pas mes façons de voir et me faisait, c'est le moins qu'on puisse dire, d'énormes difficultés dans les négociations, il est venu à mon secours. Il a convoqué Jean Garon à sa résidence et, avec son humour très particulier, lui a lu l'acte d'émeute.

Par la suite, les choses se sont un peu arrangées avec ce dernier.

Jacques Parizeau était un premier ministre efficace, systématique et organisé. Il élaborait des plans et des stratégies avec ses collaborateurs et il s'y tenait. Avec lui, les réunions du Conseil des ministres duraient rarement plus de deux heures. Les consensus étaient établis et les difficultés aplanies avant les réunions, dans les comités ministériels et au Comité des priorités. Tous les fils étaient attachés au préalable. Quand il prenait la parole au Conseil des ministres, c'était toujours avec une grande hauteur de vues. S'il lui arrivait de s'indigner, il ne faisait jamais de colère, il n'engueulait personne. Quand il n'était pas satisfait du travail d'un ministre, il le lui disait en privé. Il pouvait à l'occasion se montrer cinglant, démolir un argument avec une logique implacable, mais toujours de façon élégante.

Par ailleurs, j'avais une bonne relation avec sa conjointe, Lisette Lapointe. J'appréciais son caractère convivial qui facilitait le rapprochement entre Jacques Parizeau et les citoyens, notamment à l'occasion des réceptions qu'elle organisait, avec un plaisir évident, à la résidence du premier ministre. J'y suis allée à quelques reprises et c'était toujours agréable et chaleureux. On y chantait autour du piano. On y croisait des gens de tous les milieux, qui se réjouissaient d'avoir la chance de rencontrer le premier ministre dans une atmosphère détendue.

Au printemps 1995, nous avons dû nous résoudre à reporter le référendum à l'automne. J'étais partisane de ce report car, malgré tous nos efforts, l'appui à la souveraineté n'avait toujours pas atteint le niveau que nous espérions. Selon les sondages, il oscillait entre 41 et 47 % de la population.

Par ailleurs des mésentes importantes subsistaient entre les leaders souverainistes, surtout entre Jacques Parizeau et Lucien Bouchard, quant au libellé de la question référendaire : quelle importance fallait-il accorder au concept d'un éventuel partenariat avec le Canada et quelle forme prendrait celui-ci ? Le Comité des jeunes du parti faisait aussi valoir qu'il serait bien plus difficile de mobiliser les étudiants en juin qu'à la rentrée scolaire. Bernard Landry contribua à forcer ce report à l'automne en déclarant publiquement que les troupes souverainistes ne voulaient pas être envoyées à l'abattoir et qu'il refusait d'« être le commandant en second de la brigade légère qui fut exterminée en Crimée en vingt minutes à cause de l'irresponsabilité de ses chefs ».

Une importante étape fut toutefois franchie le 12 juin quand, après de longues et difficiles discussions, fut enfin annoncée la conclusion d'une entente tripartite entre le PQ, le Bloc et l'ADQ. Le texte de l'accord précisait que le référendum aurait lieu à l'automne 1995 avec l'objectif « de faire la souveraineté du Québec et proposer formellement un nouveau partenariat économique et politique au Canada ». Cette entente fouettait toute la famille souverainiste enfin rassemblée. Il s'agissait d'une réussite colossale dont, deux mois avant, nous n'osions rêver.

Par ailleurs, au cours de cette même période, Jacques Parizeau me confia une nouvelle mission pour le moins périlleuse. Il voulait que le gouvernement prenne l'engagement d'intégrer dans la fonction publique québécoise les dizaines de milliers de fonctionnaires fédéraux résidant au Québec, une fois la souveraineté réalisée. Une telle promesse aurait bien sûr un impact important sur les finances du futur État. Mais elle ne se présentait pas sous son meilleur jour aux yeux des syndicats québécois, qui pouvaient craindre que cette mesure n'entraîne une rationalisation des effectifs. Le premier ministre voulait que je contacte aussi bien les syndicats de la fonction publique québécoise que ceux de la fonction publique fédérale pour ficeler le tout, rassurer les uns et les autres et voir à ce que notre engagement soit compris et accepté sans grincements de dents.

Je connaissais bien ce dossier. En fait, je l'avais préparé de longue date alors que, députée dans l'opposition de 1989 à 1994, j'avais notamment la responsabilité de la région de l'Outaouais. Avec mon équipe, avec l'apport de Jacques Léonard et grâce au précieux concours de Maurice Saint-Germain, économiste et professeur à l'Université d'Ottawa, qui avait mené à ce sujet des recherches très poussées démontrant en particulier que le Québec disposait, en proportion de sa population, d'un nombre inférieur de fonctionnaires fédéraux comparativement au reste du Canada, j'avais élaboré les grandes lignes d'une éventuelle intégration des fonctionnaires, tant fédéraux que provinciaux, dans une nouvelle fonction publique d'un Québec indépendant.

J'entrepris donc de négocier, loin des médias et sans bousculer personne, avec tous les groupes concernés. Après plusieurs semaines de discussions, nous avons fini par conclure, en octobre 1995, ce qu'on pourrait appeler « une convention collective virtuelle », en fait un protocole d'entente qui aurait été mis sur la table au lendemain d'une déclaration de souveraineté du Québec. Il ne fut évidemment jamais rendu public. Engageant la parole du gouvernement, j'avais rempli avec succès ma mission et, pendant la campagne référendaire, le premier ministre put annoncer, à la surprise générale, qu'une entente avait été conclue avec les syndicats québécois et canadiens et que « chaque Québécois membre de la fonction publique fédérale se verra offrir un poste à des conditions équivalentes à celles de son emploi actuel ».

Tout au long du printemps et de l'été 1995, je déployai également des efforts avec mes collègues Louise Harel et Jeanne Blackburn, ainsi que plusieurs autres femmes, dont Nicole Boudreau, Françoise David, Lorraine Duguay, Louise Laurin, Josée Legault, Lorraine Pagé et Monique Simard, pour convaincre les Québécoises de s'engager dans la campagne pour le OUI. Il n'y a pas de doute dans mon esprit que les interventions de toutes ces femmes contribuèrent pour beaucoup à faire en sorte que, contrairement au référendum de 1980, il n'y eut guère finalement de différence entre le vote des femmes et celui des hommes lors du référendum de 1995.

C'est le 1er octobre 1995 que fut officiellement déclenchée la campagne référendaire.

Grâce à l'inébranlable détermination de Jacques Parizeau et aux efforts de nombreux militants — parmi lesquels il faut notamment mentionner Monique Simard qui était alors la vice-présidente du PQ, Nicole Boudreau qui coordonnait les Partenaires pour la souveraineté, Michel Carpentier et Normand Brouillet qui chapeautaient l'organisation, Jean-François Lisée, Gilbert Charland et André Néron qui avaient négocié l'entente tripartite entre le PQ, le Bloc et l'ADQ —, nous avions réussi à constituer une formidable coalition et à mobiliser des centaines de milliers de personnes dans toutes les régions et tous les milieux. Qui plus est, présidé par Yves Duhaime, un Conseil pour la souveraineté était à l'œuvre depuis le printemps pour contrer les manœuvres du Conseil de l'unité canadienne.

Sur le plan gouvernemental, l'état de préparation était sans commune mesure avec celui qui prévalait lors du référendum de 1980. J'avais assuré la paix avec la fonction publique et préparé l'intégration éventuelle des fonctionnaires fédéraux. Sous la houlette de Louis Bernard, secrétaire général du gouvernement, un discret comité de hauts fonctionnaires avait élaboré un plan détaillé de transition et de prise en charge par le Québec des fonctions fédérales. Menée de main de maître par Jacques Parizeau, avec l'aide de Bernard Landry, alors vice-premier ministre et ministre des Relations internationales, et de plusieurs diplomates chevronnés, une intense activité diplomatique avait été engagée pour nous assurer du soutien de la France et de plusieurs pays francophones. Réalisée dans le plus grand secret par le ministre des Finances, Jean Campeau, en étroite collaboration avec Jean-Claude Scraire qui présidait la Caisse de dépôt et placement et Yvon Martineau qui présidait Hydro-Québec, une opération financière d'envergure nous avait permis de nous assurer des liquidités suffisantes pour faire face à d'éventuelles perturbations des marchés.

Aussi, malgré les sondages fluctuants et en dépit des divisions qui persistaient malheureusement entre nos leaders, je croyais sincèrement que nous allions gagner. Je plongeai dans la campagne référendaire comme je ne m'étais jamais lancée dans aucune autre aventure auparavant.

À la veille de la campagne référendaire, des sondages nous révélèrent qu'il existait un écart de 10 % entre les femmes et les hommes dans l'appui au OUI. Certaines femmes, surtout parmi les plus démunies, étaient sensibles au discours de peur véhiculé par nos adversaires et s'inquiétaient d'une rupture avec le Canada qui, croyaient-elles, empirerait leur situation. Il nous fallait tenir compte de leurs craintes et développer un discours de confiance. On me demanda d'incarner ce discours et ce visage rassurants.

Je fus donc invitée à joindre les rangs de ce que l'on nommait « le groupe des orateurs nationaux » du Comité du OUI et me retrouvai, par conséquent, à l'avant-scène pendant toute la campagne. Encore une fois je parcourus sans relâche le Québec, multipliant interventions et discours. Je remarquai qu'on me plaçait souvent entre Jacques Parizeau et Lucien Bouchard pour équilibrer les applaudissements entre les deux. Non seulement mes talents d'oratrice étaient-ils mis à rude épreuve, mais le rôle se révélait difficile à tenir. Je jouai le jeu comme si de rien n'était durant toute la campagne.

Le 7 octobre, prenant acte de l'extrême popularité de Lucien Bouchard qui n'avait jamais cessé de croître dans la population québécoise depuis l'épreuve qu'il avait surmontée en décembre 1994 — on se souviendra qu'il avait survécu à la « bactérie mangeuse de chair » au prix de l'amputation d'une jambe —, Jacques Parizeau posa un geste politique majeur et d'une grande noblesse : devant mille cinq cents militants réunis dans l'amphithéâtre de l'Université de Montréal, il annonça qu'il nommait Lucien Bouchard négociateur en chef du Québec en prévision des discussions qui se tiendraient avec le Canada au lendemain d'un OUI au référendum. C'est moi qui fus appelée à animer cette assemblée déterminante et à présenter Lucien Bouchard.

Notre campagne prit alors un nouvel élan. À la mi-octobre, les sondages commençaient à donner le OUI gagnant. Nous étions remplis d'espoir. Mais en face de nous, les adversaires de la souveraineté, même paniqués, ne désarmaient pas.

Présidé par Daniel Johnson, chef du Parti libéral du Québec, le camp du NON, qui bénéficiait notamment de l'appui de Jean Charest, devenu chef du Parti conservateur du Canada, et de Jean Chrétien, premier ministre libéral du Canada, semblait disposé à ne reculer devant aucun moyen non seulement pour remporter la victoire mais pour « écraser » les souverainistes, selon les termes mêmes utilisés lors d'un conseil général du Parti libéral du Québec tenu le 24 septembre par l'un de ses porte-parole, Claude Garcia, un important actuaire du monde des assurances.

Jean Chrétien, en particulier, ne ménageait rien pour nous contrer. Il avait amendé en catastrophe la loi de la citoyenneté pour ramener de cinq à trois ans le délai d'acquisition de la citoyenneté canadienne, de sorte qu'un plus grand nombre de nouveaux arrivants puisse voter. C'était, par ailleurs, un secret de Polichinelle que l'argent fédéral coulait à flots dans le camp du NON, au plus grand mépris de la loi québécoise sur le financement du référendum.

Nous en eûmes l'ultime confirmation quand, quelques jours avant la date fatidique, les fédéralistes organisèrent un pseudo *love-in*, rassemblant quelque cent mille Canadiens provenant pour un bon nombre de l'extérieur du Québec, le 27 octobre, sur la Place du Canada à Montréal. Nous évaluions alors qu'à elle seule, cette manifestation avait coûté quatre millions de dollars, presque autant que l'ensemble du budget du camp du OUI pour toute la campagne!

Malgré les souhaits exprimés par un grand nombre de partisans du OUI qui nous exhortaient à organiser un grand rassemblement au stade olympique la veille du référendum, nous ne répliquâmes pas, au nom d'un scrupuleux respect des règles référendaires québécoises, au « *love-in* » fédéraliste.

La soirée du 30 octobre 1995 fut sans contredit le moment politique le plus déchirant de ma vie. Nous avions tant milité, nous avions tant travaillé, nous avions tant espéré! Le pays du Québec était à portée de main...

Rassemblés au Palais des congrès de Montréal, nous avons passé ce soir-là par toute la gamme des émotions alors qu'à mesure qu'entraient les résultats, le OUI commença par l'emporter — je me souviens de la fierté que je ressentis quand mon comté de Taillon donna une majorité au OUI — puis se maintint longtemps au coude à coude avec le NON. Mais, vers 22 h 30, le verdict final et terrible tomba comme un coup de massue: le NON l'emportait avec 50,4 %. Environ trente mille voix nous séparaient de la victoire.

Pour la deuxième fois, nous avions perdu, mais de si peu! Ce référendum, me semblait-il, nous avait été littéralement volé! Les questions se bousculaient dans ma tête: que faire? combien de combats faudrait-il encore pour aboutir? comment reprendre le flambeau?

Je fus la première à monter sur scène pour m'adresser aux militants. Ma principale préoccupation était d'éviter les débordements de colère et d'amertume. Je tentai donc de calmer le jeu et de rappeler que, désormais, la balle était dans le camp des fédéralistes, eux qui s'étaient engagés à réformer en profondeur le Canada au lendemain d'une victoire du NON.

Puis, après être allée faire un tour dans mon comté, je rentrai chez moi, découragée et épuisée, dans un état de consternation totale. Je ne voyais devant moi que la noirceur d'un tunnel. Mes enfants, qui étaient en âge de comprendre et nous avaient accompagnés au Palais des congrès, et pour qui je voulais tellement faire ce pays, partageaient ma détresse. Malgré les tentatives de mon mari de nous consoler, nous pleurâmes à chaudes larmes cette défaite.

J'avais, ce soir-là, la mort dans l'âme.

CHAPITRE 4

Les années Bouchard

LES LENDEMAINS du référendum de 1995 furent douloureux. Dès le 31 octobre, Jacques Parizeau annonça sa démission comme premier ministre et comme député. Il nous informa de sa décision au cours d'une réunion du Comité des priorités qu'il avait convoquée. Comme d'autres collègues, je ne souhaitais pas qu'il parte et j'insistai longuement pour que cet homme, solide comme le roc et que je considérais comme mon mentor, reste en poste. Je ne lui tenais pas rigueur de sa déclaration malheureuse du soir du référendum. Je l'imputais à la tristesse profonde et à l'amertume qu'il avait ressenties en voyant l'œuvre de sa vie s'écrouler. Je jugeais qu'il avait accompli un excellent travail et que le Québec avait encore besoin de lui. Mais il se montra inflexible dans sa décision. Nous ne savions pas à ce moment-là qu'en prévision d'une éventuelle défaite et avant que les résultats du référendum ne soient connus, il avait enregistré, la veille, l'annonce de son départ dans le cadre d'une entrevue accordée à Stéphan Bureau. Ceux qui pensèrent que c'était sa déclaration controversée du soir de la défaite — où il imputa «à l'argent et à des votes ethniques» les causes de la victoire du NON — qui le poussait à partir, se trompaient. Lui qui avait, à plusieurs reprises, déclaré qu'il n'était pas intéressé à diriger une province se révélait tout simplement conséquent avec lui-même. L'exécutif du Parti Québécois fixa la date du congrès à la succession au 27 janvier 1996.

Le 3 novembre, Jacques Parizeau procéda à un remaniement ministériel. Il me nomma ministre des Finances et du Revenu. Lorsque, informé du désir de Jean Campeau de quitter la vie politique dès la prochaine élection, il prit cette décision et me l'annonça, je fus estomaquée. Je compris que, sans qu'il m'en fasse la confidence, il voulait, en m'attribuant cette lourde responsabilité, me mettre en selle pour l'avenir.

J'acceptai cette nomination avec reconnaissance et fierté, bien sûr, mais, sachant que Jacques Parizeau ne serait plus premier ministre en janvier 1996, je n'avais pas la moindre idée du temps pendant lequel j'assumerais cette fonction. J'espérais toutefois, malgré le changement de premier ministre, demeurer à ce poste pendant longtemps et je m'y préparai soigneusement. Je me souviens en particulier que nous avions planifié, mon mari et moi, une fin de semaine en amoureux à Philadelphie qui tombait par hasard immédiatement après ma nomination. Je ne la reportai pas mais j'y allai avec une pile de documents du ministère sous le bras! Je ne remis pas à plus tard, non plus, les vacances familiales du temps des fêtes au Mexique que nous avions organisées de longue date, mais je traînai avec moi deux grosses valises de dossiers et d'analyses financières dont je pris connaissance... sur la plage! Ma famille me trouvait plutôt ennuyante.

En définitive, même si mon premier passage aux Finances fut bref, j'ai quand même eu le temps de participer, en décembre 1995, à une conférence fédérale-provinciale des ministres des Finances et d'y réclamer des points d'impôt pour le Québec. Cela constituait notre première offensive après le référendum perdu pour faire avancer le Québec.

La succession de Jacques Parizeau à la tête du Parti Québécois et du gouvernement était ouverte. Pourtant, pas une seconde je ne songeai à l'hypothèse d'une course à la chefferie. L'arrivée de Lucien Bouchard ne faisait aucun doute à mes yeux. Peu après la démission de Jacques Parizeau, je lui avais d'ailleurs parlé pour lui dire que je l'appuierais s'il souhaitait devenir chef du Parti Québécois. Cette arrivée était ardemment désirée par la plupart des militants du parti. Les partisans de Bouchard étaient si nombreux au sein du Parti Québécois qu'il semblait alors impossible d'identifier des adversaires éventuels. Qui aurait voulu se mesurer au charismatique chef du Bloc? L'homme s'imposait par ses faits d'armes — nombre d'analystes politiques lui attribuaient la montée de l'option souverainiste pendant la campagne référendaire — et par son immense popularité dans l'opinion publique. Et il ne voulait pas d'une course qui pourrait susciter des divisions dans le parti. Il préférait un couronnement rapide.

Par ailleurs, les souverainistes sortaient meurtris et fâchés de la campagne référendaire. Il était essentiel de ne pas baisser pavillon devant le fédéral. Dans un tel contexte, se lancer dans une course au leadership aurait sans doute été faire preuve d'un masochisme dangereux. Et puis, en définitive, il nous fallait aller rapidement de l'avant. Après tout, il restait quatre années à notre mandat électoral. Malheureusement, le fait qu'il n'y eut pas de course empêcha aussi le Parti Québécois de se livrer à un véritable post-mortem de la défaite référendaire.

Lucien Bouchard annonça donc sa candidature à la présidence du parti le 21 novembre 1995. Et le 27 janvier suivant, il devint président désigné du Parti Québécois. Deux jours plus tard, il fut assermenté comme premier ministre du Québec. Enfin, le 19 février, il fut élu député de Jonquière à l'Assemblée nationale.

Entre-temps, il rendit publique la composition de son Conseil des ministres. Conservant son titre de vice-premier ministre, Bernard Landry était nommé à la tête d'un superministère qui intégrait les Finances et l'Économie. Pour ma part, je devins ministre de l'Éducation.

Au départ, lorsque Lucien Bouchard me confia l'Éducation, j'étais très mécontente. Je venais d'avoir, pendant quelques mois seulement il est vrai, la responsabilité des Finances et j'avais vraiment aimé cela. Je m'y étais beaucoup investie et j'avais même préparé mes propositions pour le prochain budget. Ma mutation dans un autre ministère signifiait à mes yeux et à ceux des observateurs politiques une rétrogradation. D'autant plus que le ministère de l'Éducation était sens dessus dessous à ce moment-là. Mais Lucien Bouchard déploya beaucoup d'éloquence pour me convaincre de l'importance de ce ministère. Il était d'avis que les choses allaient plutôt mal en éducation et il comptait sur moi pour les rétablir.

Le sous-ministre, Pierre Lucier, et son équipe m'accueillirent à bras ouverts au ministère de l'Éducation. Je trouvai là des collaborateurs compétents et dévoués. Je pense entre autres à deux femmes remarquables : Pauline Champoux-Lesage qui deviendra plus tard sous-ministre en titre du ministère et Carole Pelletier, secrétaire générale du ministère. J'ai pu aussi bénéficier du soutien de Jean-Guy Paré, député de Lotbinière, qui devint mon adjoint parlementaire en septembre 1996. Il me donnera un solide coup de main, en particulier dans le dossier de la formation professionnelle. Il sera aussi mon adjoint parlementaire quand je deviendrai ministre des Finances en 2001.

J'arrivais à la tête du ministère de l'Éducation à un moment charnière. L'ensemble du système d'éducation, particulièrement aux niveaux primaire et secondaire, faisait l'objet depuis plusieurs années d'une intense remise en question. Sous l'impulsion, en particulier, de la Centrale de l'enseignement du Québec et de sa présidente Lorraine Pagé, une Commission des États généraux sur l'éducation avait été créée en 1995 par le gouvernement du Parti Québécois. Présidée par Robert Bisaillon et Lucie Demers, cette commission avait sillonné le Québec et reçu pas moins de deux mille mémoires. Mais son mandat avait été limité par mon prédécesseur au constat des problèmes et des consensus du milieu, ce qui me semblait insuffisant. Aussi décidai-je rapidement de modifier ce mandat en confiant à la commission la responsabilité d'élaborer également des recommandations.

Je devenais aussi ministre de l'Éducation au moment où le nouveau premier ministre décidait de lancer le gouvernement dans un effort sans précédent pour que le Québec atteigne l'équilibre budgétaire. Il est vrai que le Québec augmentait, année après année, sa dette pour des dépenses « d'épicerie » et affichait des déficits records. Aussi Lucien Bouchard, dès son arrivée à la tête du gouvernement, convoqua-t-il, en mars 1996, une Conférence sur le devenir social et économique du Québec, un grand sommet des décideurs où le gouvernement et les représentants de la société civile (syndicats, groupes communautaires, milieu des affaires, etc.) s'entendirent pour faire de la réduction du déficit une priorité et pour ramener progressivement celui-ci de 3,9 milliards de dollars qu'il était en 1996-1997 à zéro dollar en l'an 2000. Il fallait mettre fin à cet endettement collectif qui s'accroissait chaque année et qui serait légué aux générations futures.

Ce sommet, il faut le rappeler, ne porta pas uniquement sur la situation des finances publiques. Il aborda d'autres questions. Par exemple, il confia le mandat au gouvernement d'offrir de nouveaux services aux familles et, dans un autre ordre d'idées, il fit consensus pour revaloriser et développer la formation professionnelle et technique des jeunes.

Mais le déficit zéro n'était vraiment pas un objectif facile à atteindre, surtout dans un contexte où le Québec subissait d'importantes réductions de transferts fédéraux. Pour réduire son propre déficit, Ottawa pelletait ses problèmes dans la cour du Québec. Tout le monde était donc appelé à faire sa part, à commencer par l'État qui annonça au lendemain du sommet des compressions majeures. Certaines, comme la fermeture de délégations du Québec, s'avéreront sans contredit des erreurs de tir, car le peu d'argent économisé ne compensa pas les dommages causés au Québec dans sa promotion à l'étranger. Mais Lucien Bouchard disait alors : « Comment justifier des postes à l'étranger quand on ferme des hôpitaux au pays ? »

L'un des moments les plus délicats pour moi du débat sur le déficit zéro se présenta quand le Parti libéral soumit à l'Assemblée nationale une proposition stipulant que le gouvernement, dans ses efforts pour atteindre le déficit zéro, prenait l'engagement de ne pas toucher aux conventions collectives signées avec les syndicats du secteur public en 1995. Lucien Bouchard fut alors tenté d'amender cette proposition afin de se garder une éventuelle marge de manœuvre. Or, c'est moi qui avais négocié et signé ces ententes accordant des hausses salariales justifiées et raisonnables aux employés de l'État. Il ne pouvait être question pour moi de renier ma parole en soutenant un tel amendement. Je fis donc savoir au premier ministre que je voterais contre son amendement s'il le présentait, même si cela entraînait ma démission. Heureusement, il n'a pas proposé d'amendement et nous avons appuyé la motion libérale.

En éducation, par ailleurs, j'avais une directive ferme du Conseil du trésor de geler les dépenses, ce qui, notamment pour les universités, privées de ce fait de revenus supplémentaires indispensables à leur bon fonctionnement, avait des conséquences graves.

Les réformes que je souhaitais mener à bien devraient néanmoins, bon gré mal gré, se situer dans le cadre de cette volonté gouvernementale d'équilibrer les finances publiques. Mais je partageais cette volonté et j'étais une femme d'équipe… alors je me suis retroussé les manches !

Le premier grand dossier qui mobilisa mes énergies comme ministre de l'Éducation fut la réforme des commissions scolaires confessionnelles.

Le premier ministre m'avait en quelque sorte forcé la main. En effet, lors du premier Conseil national du PQ qu'il présida, Lucien Bouchard déclara que, dans la perspective de mieux intégrer les nouveaux arrivants, nous allions nous attaquer au problème des commissions scolaires confessionnelles. Comme je venais tout juste d'arriver à l'Éducation et que je ne connaissais pas ce dossier, j'étais plutôt catastrophée. J'accusai le coup devant les médias en répondant le moins possible aux questions. Je ne fus guère rassurée quand, le lundi suivant, mon sous-ministre me rappela que cela faisait plus de trente ans que les ministres de l'Éducation voulaient relever ce défi et qu'ils s'y étaient tous cassé les dents, y compris Claude Ryan.

Le système des commissions scolaires religieuses existait au Québec depuis la fondation de la Confédération canadienne en 1867. Créées pour conférer à la minorité anglaise du Québec un droit inaliénable sur son système scolaire, d'une part, et, d'autre part, pour confirmer la mainmise de l'Église catholique sur l'éducation des Canadiens français, ces commissions scolaires ne répondaient plus aux aspirations du Québec moderne, pluraliste et de plus en plus laïque. Dirigées par des commissaires scolaires élus au suffrage universel, les commissions scolaires jouaient — et jouent toujours — un rôle non négligeable face au ministère de l'Éducation, en gérant notamment les infrastructures, le transport scolaire et l'application des conventions collectives signées avec les syndicats de l'enseignement.

Presque tout le monde voulait une réforme, mais personne ne s'entendait sur la façon d'y arriver. Toutes les hypothèses étaient évoquées : de l'abolition pure et simple des commissions scolaires à leur transformation en commissions linguistiques. J'avais donc la tâche ardue de rencontrer tous les interlocuteurs, de les consulter, de discuter avec eux, d'essayer de mettre tout le monde d'accord sur un dénominateur commun qui ne soit pas le plus bas.

Cela faisait trois décennies, en fait depuis le rapport de la Commission Parent dans les années 1960, que les divers gouvernements discutaient de la réforme des commissions scolaires. À peu près tout le monde admettait que le système scolaire créé en vertu de lois qui dataient des débuts de la Confédération canadienne ne correspondait plus à l'évolution de la société québécoise et qu'il serait souhaitable de remplacer les commissions scolaires confessionnelles par des commissions scolaires linguistiques. Mais toutes les volontés de réforme se butaient aux garanties constitutionnelles accordées aux commissions scolaires protestantes et catholiques de Montréal et de Québec par l'article 93 de l'Acte de l'Amérique du Nord britannique adopté en 1867, garanties qui rendaient impossible leur abolition.

Aussi, dans un premier temps, au printemps 1996, j'envisageai de faire coexister les deux systèmes en mettant en place des commissions scolaires linguistiques à travers l'ensemble du Québec, tout en préservant les commissions scolaires confessionnelles dans les limites des territoires d'origine des villes de Montréal et de Québec. Ce n'était pas l'idée du siècle! Je me rendis bientôt compte qu'une telle cohabitation était absolument impraticable. Montréal — et Québec dans une moindre mesure — se serait retrouvé avec: une commission scolaire francophone comprenant un secteur protestant, un secteur catholique et un secteur autre; une commission scolaire anglophone comprenant un secteur catholique, un secteur protestant et un secteur autre; une commission scolaire catholique comprenant des francophones et des anglophones; et, finalement, une commission scolaire protestante comprenant des anglophones et des francophones. Imaginons l'empilage de structures, les chevauchements, les complications et les coûts pour le processus annuel d'admission, l'affectation du personnel, la distribution des ressources, l'établissement des listes électorales. C'était carrément absurde!

Une fois ce constat fait, j'eus l'humilité d'accepter mon erreur. J'annonçai l'abandon de cette idée lors du Forum national des États généraux sur l'éducation en septembre 1996. Il fallait se rendre à l'évidence: la seule façon de transformer les commissions scolaires était de prendre le taureau par les cornes et de changer la constitution canadienne. Mais comment modifier cette constitution alors que le Québec n'y avait pas adhéré lors de son rapatriement de Londres en 1982? Tout simplement en nous référant aux textes d'origine qui dataient de 1867 et en réclamant qu'ils ne s'appliquent plus au Québec. Mais j'hésitais à me lancer dans cette bataille. C'est mon directeur de cabinet d'alors, Claude

Plante, qui m'a convaincue de l'entreprendre en me disant : « Soyons sérieux, c'est la seule façon d'y arriver ! » Je constituai une petite équipe de mon ministère qui — en étroite collaboration avec Esther Gaudreault, directrice du cabinet de Jacques Brassard, alors ministre des Affaires intergouvernementales canadiennes — consacra des centaines d'heures de travail pour m'aider à mener à terme la réforme.

C'est ainsi que, chose assez incroyable dans le climat de chicane permanente qui prévalait alors entre les gouvernements canadien et québécois, je réussis — aidée en cela par l'opposition officielle et par son porte-parole en éducation — à susciter un si large consensus social au Québec derrière cette revendication que le gouvernement fédéral n'osa s'y opposer et que la Chambre des communes à Ottawa donna son aval aux modifications constitutionnelles demandées. Cela ne se fit pas sans mal, bien sûr. Il a fallu notamment tout le doigté de Claude Plante, qui était en très bons termes avec les représentants des Églises, pour leur faire accepter ce changement. Même à l'intérieur de mon propre parti, je dus combattre les objections de certains qui craignaient qu'avec cette réforme je fasse la démonstration que le fédéralisme fonctionnait ! Mais je parvins finalement à convaincre les récalcitrants qu'il était de l'intérêt supérieur du Québec d'avoir des structures scolaires qui permettent enfin l'intégration de l'ensemble des jeunes issus de l'immigration dans une culture institutionnelle francophone. C'est d'ailleurs cet objectif qui rallia Jacques Brassard à cette réforme. Il m'aida ensuite beaucoup dans ce dossier jusqu'à m'accompagner à Ottawa pour défendre le projet devant une Commission parlementaire de la Chambre des communes convoquée à cette fin.

Ce n'est pas sans fierté qu'en novembre 1997, je fis adopter, à l'unanimité, par l'Assemblée nationale du Québec des modifications à la Loi sur l'instruction publique qui mettaient fin aux commissions scolaires confessionnelles et qui les remplaçaient par des commissions scolaires linguistiques francophones et anglophones dans l'ensemble du Québec.

Du même souffle, je réduisais de cent cinquante-six à soixante-douze le nombre de commissions scolaires et je modelais leurs territoires sur ceux des municipalités régionales de comté (MRC) afin de favoriser la collaboration entre ces deux entités. J'avais confié cette délicate tâche du redécoupage des commissions scolaires à un sous-ministre adjoint, Henri-Paul Chaput, et à mon directeur de cabinet adjoint, Pierre D'Amour.

Cette réforme avait été menée à bien sans heurts majeurs et sans drames, car nous avions pris soin de consulter patiemment tous les groupes concernés, de les écouter et d'aplanir au fur et à mesure où elles se présentaient les principales aspérités.

Mais il n'y avait pas que les commissions scolaires qui avaient besoin d'être réformées. L'ensemble du système d'éducation était mûr pour des changements réclamés d'ailleurs de toutes parts.

Comme je l'ai déjà signalé, une Commission des États généraux sur l'éducation avait été créée en 1995 et je lui avais confié la mission de nous faire des recommandations. Après une vaste consultation, la Commission déposa son rapport à la fin de 1996. Elle y allait d'un ensemble de propositions, parmi lesquelles, bien sûr, la déconfessionnalisation des structures scolaires — que je réalisai en priorité, comme je viens de le raconter —, mais aussi l'arrêt du financement public des écoles privées, l'instauration de l'éducation préscolaire à temps plein pour les enfants de cinq ans, la décentralisation des pouvoirs vers les établissements scolaires et, surtout, la révision du curriculum. Si certaines propositions étaient, c'est le moins qu'on puisse dire, loin de faire l'unanimité dans la société québécoise — en particulier l'arrêt du financement des écoles privées —, d'autres recueillaient un consensus plus large.

Quelques semaines après le dépôt du rapport de la Commission, en janvier 1997, j'annonçai que je retenais sept chantiers prioritaires et que je créais sept groupes de travail pour les faire avancer. Certains de ces chantiers n'aboutirent pas avant que je quitte la direction du ministère de l'Éducation à la fin de l'année 1998, mais d'autres furent menés à terme : je pense notamment au chantier sur le nouveau partage de pouvoir entre, d'une part, les commissions scolaires et les écoles et, d'autre part, les parents et les enseignants qui conduisit à la création des conseils d'établissement.

Mère de quatre enfants d'âge scolaire qui fréquentaient tous le système public, j'étais particulièrement préoccupée par le curriculum. Comme tous les parents, j'étais à même de constater à quel point on avait ajouté, au fil des ans et au détriment de l'enseignement des matières de base que sont le français, les mathématiques et l'histoire, différents cours pour répondre à toutes sortes de besoins ou de demandes, par exemple des cours d'économie familiale et des cours de formation personnelle et sociale. Je voyais bien que les élèves arrivaient au cégep avec une maîtrise déficiente du français, une connaissance approximative de l'histoire et sans avoir acquis de méthodes de travail adéquates.

Aussi, en janvier 1997, l'un des groupes de travail que je constituai portait sur la réforme du curriculum au primaire et au secondaire. Présidé par Paul Inchauspé, qui avait été l'un des commissaires des États généraux sur l'éducation, le groupe me remit son rapport en juin de la même année. Il avait pu notamment profiter d'une réflexion sur cette question menée depuis plusieurs mois par un groupe dirigé par Claude Corbo. Parmi les changements proposés, les plus importants étaient : généraliser l'éducation préscolaire pour les enfants de cinq ans ; mettre l'accent sur les matières essentielles en augmentant le nombre d'heures d'enseignement de ces matières et, pour ce faire, éliminer sept matières (formation personnelle et sociale, écologie, économie familiale, initiation à la technologie, biologie humaine, éducation économique, éducation au choix de carrière) en intégrant leurs contenus à d'autres matières enseignées ;

favoriser la connaissance de l'histoire et l'apprentissage d'une troisième langue; redonner de l'importance aux arts; créer trois cycles d'études au primaire et deux au secondaire; enfin, développer les « compétences transversales ». L'idée était lâchée. Elle ferait couler beaucoup d'encre dans la décennie à venir! Voilà pourtant une idée toute simple et tout à fait valable qui consiste à demander à chaque enseignant, peu importe la matière dont il a la responsabilité, de développer chez chacun de ses élèves les compétences linguistiques (bien parler et bien écrire sa langue), intellectuelles (réfléchir), méthodologiques (se donner des méthodes de travail) et liées à la socialisation (savoir vivre ensemble).

En prenant connaissance de ces recommandations qui apportaient plusieurs réponses concrètes à mes interrogations de ministre de l'Éducation et de mère, je me suis dit qu'après toutes ces années de consultations et de discussions, le moment était venu de passer à l'action. Je décidai d'accepter le rapport Inchauspé et de le mettre en œuvre. Mais je n'étais pas irréaliste. J'étais bien placée comme souverainiste pour savoir que la résistance au changement est viscérale dans toute société. J'étais consciente qu'il me fallait à nouveau reprendre mon bâton de pèlerin pour aller convaincre les uns et les autres.

Il me fallut affronter en particulier deux résistances : celle de certains parents qui craignaient, avec la généralisation de la maternelle à cinq ans, que leurs enfants ne soient scolarisés trop tôt et celle de la Centrale de l'enseignement du Québec (CEQ) qui appréhendait les effets de la réforme. Il ne me fut pas trop difficile, en faisant la promotion de notre nouvelle politique familiale, de calmer les craintes des parents. Après tout, nous n'étions pas la première société à instaurer l'éducation préscolaire à temps plein pour les enfants de cinq ans. En Europe, par exemple, plusieurs pays procédaient ainsi depuis longtemps et toutes les études démontraient les effets bénéfiques d'une telle mesure. Vaincre la résistance de la CEQ s'avéra plus ardu. Les enseignants craignaient notamment qu'avec la mise en place des conseils d'établissement un trop grand pouvoir ne soit dévolu aux parents sur les questions pédagogiques. Par ailleurs, la réforme était en quelque sorte prisonnière des conventions collectives existantes. Dans un contexte de lutte au déficit, il n'était pas question de les rouvrir. Nous ne voulions pas toucher au ratio maître-élèves dans les classes, mais nous souhaitions voir les enseignants assumer des tâches supplémentaires d'encadrement. La tâche des enseignants n'est pas chose facile et il ne sera jamais inutile d'ajouter de l'argent dans le système d'éducation, mais l'état des finances publiques ne s'y prêtait guère à ce moment-là. À la CEQ qui menaçait de faire la grève, je fis valoir que le Québec consacrait déjà plus d'argent à l'éducation que la plupart des autres pays dans le monde et que mon ministère était le second en importance dans les dépenses publiques.

Cette réforme, résultat d'une large volonté collective des parents, des enseignants et des administrations, j'y tenais. Je croyais en sa justesse et en son efficacité.

Je ne voulais pas la voir « mourir au feuilleton » et elle ne mourut pas. En novembre 1997, j'eus l'honneur de proposer à l'Assemblée nationale du Québec la nouvelle Loi sur l'instruction publique qui, outre la mise en place de commissions scolaires linguistiques, redéfinissait les rôles respectifs des commissions scolaires et des écoles, créait les conseils d'établissement et instaurait le nouveau régime pédagogique au primaire et au secondaire.

Tout en menant à terme la transformation des commissions scolaires confessionnelles en commissions scolaires linguistiques et tout en lançant la nécessaire et difficile réforme de l'éducation, je m'attelai, dès ma désignation comme ministre responsable de la Famille au début de l'année 1996, à réaliser une grande réforme qui me tenait à cœur depuis longtemps : celle de la petite enfance et des services de garde.

Cette réforme, j'en rêvais depuis des années. J'avais dit et redit, à satiété, que c'est dès la petite enfance que se joue l'avenir de nos enfants et que c'est à partir de là que l'État, gardien de l'équité dans une société, peut procurer à tout le monde une chance égale de réussite et cela passe par l'éducation. Depuis l'époque où je dirigeais le cabinet de Lise Payette, nous avions progressé dans cette voie, certes, mais à petits pas. Avec l'entrée massive des femmes sur le marché du travail, les besoins en services de garde avaient littéralement explosé. La conciliation travail-famille était devenue un problème majeur au Québec. L'extraordinaire réseau de garderies populaires à but non lucratif mis sur pied et tenu à bout de bras par les parents dans toutes les régions ne parvenait pas, faute d'un soutien adéquat de l'État, à satisfaire la demande. L'occasion se présentait enfin de donner le coup de barre si longtemps attendu par les Québécois et surtout, je crois bien, par les Québécoises.

Heureusement, j'avais le soutien indéfectible du premier ministre Lucien Bouchard. À la suite du grand sommet socio-économique de mars 1996, il avait demandé au secrétariat du Comité des priorités d'élaborer des projets visant les jeunes familles. Ces projets concernaient trois ministres : André Boisclair, Louise Harel et moi-même. Le dossier était très complexe et, à trois, nous n'avancions pas très vite. Aussi, à ma demande, Lucien Bouchard me confia-t-il le mandat de coordonner l'élaboration d'une politique familiale, de créer un nouveau ministère de la Famille et de l'Enfance et d'aller de l'avant avec le projet des centres de la petite enfance.

Mais, des campagnes publiques contre la réforme des services de garde que menait le Regroupement de garderies privées aux réticences de certains de mes collègues qui trouvaient que les investissements nécessaires étaient élevés dans un contexte où nous nous débattions comme des diables dans l'eau bénite pour atteindre le déficit zéro, les obstacles étaient nombreux. Ce fut une réforme vraiment difficile à faire passer.

Avec l'aide de l'équipe formidable qui m'épaulait – dont Jacqueline Bédard qui à ce moment-là occupait à la fois les fonctions de présidente de l'Office des services de garde et de secrétaire générale associée à la Famille –, je me mis à la tâche.

Pendant des mois et des mois, tout en préparant le projet de loi et en réglant les aspects administratifs, je n'ai pas arrêté de parler et d'essayer de convaincre mon propre gouvernement tout autant que le grand public. Les familles attendaient cette réforme depuis trop longtemps. Notre crédibilité était en jeu, même, et surtout, en période de restrictions budgétaires. Si, justement en cette période, nous avions laissé tomber, quel aurait été le message envoyé aux femmes et à la population ? Que ce dossier n'était pas assez important ? Qu'au fond, ce ne serait jamais le temps d'une telle réforme, ni pendant les beaux jours ni pendant les mauvais jours ? La question ne s'est jamais posée en ces termes, mais si je n'avais pas gagné cette cause que je jugeais fondamentale, je serais partie.

À force de conviction et de persévérance, d'entêtement même, sans élever la voix mais sans jamais reculer ni céder, misant sur ma connaissance des rouages de la machine gouvernementale et mettant à contribution toutes les alliances que j'avais tissées dans la société au long de ma carrière politique, je finis par arracher le morceau. En janvier 1997, je rendis publique la nouvelle politique familiale et le 15 mai 1997, je pouvais dire : mission accomplie ! Je déposai à l'Assemblée nationale du Québec la Loi sur le ministère de la

Famille et de l'Enfance et modifiant la Loi sur les services de garde à l'enfance. Les allocations familiales étaient remplacées par des services directs aux familles. Les centres de la petite enfance, mieux connus sous le nom de « garderies à cinq dollars » (aujourd'hui à sept), étaient enfin créés. J'avais pu compter sur le milieu des services de garde et en particulier sur la présidente du Regroupement des services de garde, Claudette Pitre-Robin, pour y arriver. De plus, un nouveau congé parental, financé à même le programme d'assurance-chômage, était aussi proposé et une loi était adoptée à cette fin.

Une décennie plus tard, la Loi sur les services de garde à l'enfance, unique en Amérique du Nord, demeure toujours l'une des plus appréciées des Québécois.

Pendant que j'étais ministre de l'Éducation, je dus faire face à une tentative arrogante du gouvernement fédéral d'envahir la juridiction pourtant exclusive du Québec en matière d'éducation. À l'approche du passage à l'an 2000, pour marquer cet événement, Jean Chrétien s'était en effet mis en tête d'offrir aux jeunes des bourses d'études qu'il appelait les « bourses du millénaire ». Sans nous consulter et à notre plus grande consternation, il en fit l'annonce en grande pompe à Ottawa.

Ce projet de Jean Chrétien reçut généralement un bon accueil dans les autres provinces qui, pour la plupart, ne disposent pas de régimes de prêts et bourses équivalant au nôtre. Mais il était inacceptable pour nous, non seulement parce qu'il représentait une ingérence dans un champ de compétence du Québec mais aussi parce qu'il venait complètement bousiller notre système de prêts et bourses.

J'entrepris donc, avec l'accord du premier ministre et de mes collègues du cabinet, de mener la bataille contre ce projet. Il n'était pas question de tolérer que Chrétien vienne défaire un dispositif essentiel de notre système d'éducation que nous avions mis des années à bâtir au Québec et dont nous étions fiers. Si le gouvernement fédéral disposait d'argent à investir dans l'enseignement supérieur, il n'avait qu'à nous le remettre. Nous saurions en faire bon usage. J'invitai tous nos partenaires du milieu de l'éducation à se joindre à nous au sein d'une grande coalition québécoise afin de contrer ce projet fédéral. Tous répondirent à l'appel : les associations étudiantes, les syndicats de l'enseignement et les centrales syndicales, les fédérations des commissions scolaires et des cégeps, la Conférence des recteurs et des principaux des universités du Québec, alors présidée par Bernard Shapiro, principal de l'Université McGill.

Pendant des mois, nous avons multiplié les déclarations et les actions communes afin de défendre les intérêts du Québec dans ce dossier. Une fois par semaine, ma directrice de cabinet, Nicole Stafford, tenait une conférence téléphonique avec tous les membres de la coalition afin de coordonner nos interventions. Au cours d'un débat sur cette question à l'Assemblée nationale du Québec — débat pendant lequel j'allai jusqu'à offrir à Jean Chrétien de mettre sa photo sur les chèques envoyés aux étudiants ! —, nous avons reçu l'appui de l'opposition officielle.

Ce fut une bataille mémorable dont le point culminant serait l'organisation du déplacement à Ottawa d'une importante délégation de la coalition, Lucien Bouchard en tête, au printemps 1998. Après avoir refusé dans un premier temps de nous recevoir, Jean Chrétien finit par nous rencontrer avec son chef de cabinet, Jean Pelletier. Puis Lucien Bouchard et Bernard Shapiro tinrent une conférence de presse. C'était vraiment beau à voir : le premier ministre souverainiste du Québec et le principal de la grande université anglophone de Montréal dénonçant d'une même voix l'ingérence d'Ottawa !

Le combat se poursuivit pendant quelque temps et ce fut finalement mon successeur au ministère de l'Éducation, François Legault, qui parvint à négocier une entente respectueuse du Québec dans ce dossier.

Au cours des années où je dirigeai le ministère de l'Éducation et plus tard celui de la Santé, je fus appelée à quelques reprises à représenter le Québec dans des rencontres internationales. J'avais déjà eu l'occasion en 1995, alors que j'étais ministre de la Famille, de participer à Paris à un grand rendez-vous qui clôturait l'Année internationale de la famille sous la présidence de François Mitterand, alors président de la France.

Grâce aux bons offices de Claude Roquet, délégué général du Québec en France, j'avais eu le plaisir d'y faire la connaissance de Simone Veil, cette femme remarquable, rescapée des camps de la mort nazis, qui exerce depuis des décennies une influence morale et politique majeure auprès de ses compatriotes et qui, à ce moment-là, était ministre de la Santé. Nous eûmes ensemble une longue discussion, à la fois simple et chaleureuse, sans doute l'une des conversations les plus passionnantes que j'ai eu l'opportunité d'avoir au fil des ans avec une personnalité politique étrangère.

Ces missions à l'étranger — par exemple, pour participer à des conférences internationales sur l'éducation, souvent organisées par l'UNESCO, pour préparer des sommets de la Francophonie ou pour assister à des activités de l'Organisation mondiale de la Santé — me conduisirent notamment à Hambourg, Paris, Liège, Bamako, Cotonou, Hanoi, Beyrouth, São Paulo et Rio de Janeiro.

J'ai alors souvent ressenti beaucoup de fierté à constater de mes propres yeux à quel point, dans nombre de domaines où il excelle, le Québec apporte une réelle contribution à la communauté internationale. On ne rend pas suffisamment compte de cette réalité. Dans les secteurs où je connais bien notre action internationale, particulièrement en éducation et en santé, je peux témoigner que l'expertise québécoise — dans l'enseignement supérieur, la formation professionnelle, l'éducation des adultes, la gestion des médicaments, les technologies médicales, pour ne donner que quelques exemples — est recherchée et appréciée. Les délégations que j'ai dirigées jouaient toujours un rôle significatif, parfois déterminant, dans le succès des rencontres auxquelles j'ai participé. Imaginons quelle contribution nous pourrions apporter à l'ensemble des institutions internationales si nous affirmions notre souveraineté!

Bien sûr, le gouvernement canadien nous imposait des contraintes et des chaperons dès qu'il en avait l'occasion. Ceux-ci, ministres, ambassadeurs ou fonctionnaires fédéraux, faisaient sentir une présence plus ou moins lourde selon les circonstances et selon les individus. Certains s'acharnaient à nous mettre continuellement des bâtons dans les roues alors que d'autres, moins dogmatiques ou plus soucieux du succès de ces rencontres, comprenaient que, dans ces domaines de compétence québécoise, c'était notre délégation qui connaissait le mieux les dossiers. Ils nous laissaient prendre pleinement notre place. Les rapports avec le gouvernement fédéral donnaient parfois lieu à des quiproquos. Je me souviens, entre autres, d'une conférence sur le développement social qui se tenait à Genève où une ministre représentant le Canada m'avait demandé une rencontre privée. Je m'étais préparée à un rendez-vous difficile en me disant: «Ça y est! Elle trouve que je prends trop de place. Nous voilà repartis dans les chicanes fédérales-provinciales!» Mais pas du tout. Elle voulait simplement avoir une discussion entre femmes pour comprendre comment j'avais réussi à me rendre là où j'étais sur le plan politique.

Beaucoup de gens s'imaginent à tort que ces voyages à l'étranger sont en quelque sorte des prétextes pour prendre des vacances et faire du tourisme aux frais des contribuables. Pour ma part, au cours de ces missions, j'avais la plupart du temps de la difficulté à me libérer quelques heures pour visiter la ville où je séjournais. J'ai plutôt le souvenir de longues et intenses journées de travail qui se prolongeaient souvent jusque tard dans la nuit. Je me rappelle en particulier la Conférence internationale sur la formation continue et l'éducation des adultes que l'UNESCO organisa à Hambourg en juillet 1997. À l'instigation de Paul Bélanger, un Québécois qui dirigeait l'Institut de l'UNESCO pour l'éducation et qui avait joué un rôle important dans la préparation de cette conférence, j'avais accepté, avec quelques autres représentants d'États tant du Nord que du Sud dont un délégué de l'Inde avec qui je développai une efficace complicité, de participer à un groupe conseil chargé de soutenir le travail de la présidente — une Allemande — de la conférence. Après nos journées de travail consacrées aux réunions de délégations et aux ateliers, nous nous réunissions le soir et la nuit pour faire la synthèse des discussions et des propositions, pour concilier les visions parfois contradictoires des gouvernements et des organisations non gouvernementales, pour trouver les mots justes qui ne blesseraient personne, en somme pour identifier les consensus qui assureraient le succès de la rencontre. Certains jours, il n'était pas question de dormir et j'avais à peine le temps de passer à mon hôtel prendre une douche. Mais la

En 1983, à Albany, avec à droite le gouverneur de l'État de New York,
Mario Cuomo, à mes côtés, Michel Clair et à l'extrême gauche,
Jean Drapeau, maire de Montréal

En 1983, avec René
Lévesque, mon
assermentation
comme ministre
de la Main-d'œuvre

En 1984, à Baie-Comeau, avec des travailleurs de la construction

En 1984, avec Denise Leblanc-Bantey et Jacques Parizeau, à l'occasion de la visite du pape Jean-Paul II à Québec

En 1985, pendant la campagne électorale,
avec Pierre Marc Johnson

En 1988, avec Jacques Parizeau

En 1989, pendant la campagne électorale, avec André Boisclair

En 1989, pendant la campagne électorale, dans Taillon

En 1991, avec Guy Chevrette

En 1995, pendant la campagne référendaire, avec Monique Simard

En 1995, pendant la campagne référendaire, avec Lisette Lapointe, Jacques Parizeau, Lorraine Pagé, Gérald Larose et Yves Duhaime

En 1997, avec Louis Laberge et Claude

En 1998, avec Louise Harel

En 2000, avec Lucien Bouchard

En 1999, à l'occasion de mon cinquantième anniversaire, avec Gilles Vigneault et mon ami Claude Plante

En 2001, avec Bernard Landry

En 2005, pendant la course à la chefferie, avec quelques autres candidats
© Centre de documentation du Parti Québécois

En 2003, avec Camil Bouchard et Louise Beaudoin

En 2007, à la fête de Noël du PQ, avec Lisette Lapointe et Jacques Parizeau

conférence se révéla une grande réussite et se termina dans l'enthousiasme général. Je fus appelée à jouer le même rôle très actif — et fort épuisant —, avec des résultats tout aussi satisfaisants, dans d'autres conférences internationales, notamment celle sur l'enseignement supérieur tenue à Paris en 1998 et celle sur le développement social à Genève en 2001.

Les missions que je dirigeai à l'étranger furent aussi pour moi l'occasion d'être confrontée à toutes sortes de situations.

Des situations difficiles : à Hanoi, où les ministres de l'Éducation francophones s'étaient réunis pour préparer le Sommet de la Francophonie qui se tiendrait au Vietnam, je parvins au prix d'un effort de tous les instants à gérer une crise qui avait éclaté entre le représentant de la France et le président d'une organisation internationale d'universités, et à calmer finalement les tensions qui existaient entre eux et qui auraient pu compromettre la rencontre. Je me découvris une nouvelle spécialité : réparatrice de pots cassés !

Des situations inquiétantes : à Beyrouth, à l'occasion de la préparation d'un autre Sommet de la Francophonie qui devait, celui-là, se tenir au Liban, nous ne pûmes visiter la ville — qui ressemblait à un immense chantier où les cicatrices de la guerre civile qui avait ravagé ce pays étaient encore partout présentes — qu'entourés de soldats baraqués qui assuraient notre protection. On nous amena aussi sur le site historique de Byblos dans un cortège puissamment armé qui roulait à pleine vitesse, toutes sirènes hurlantes. Je revécus ce type d'expérience inconfortable et quelque peu surréaliste quelques années plus tard lors d'une visite d'une favela réputée dangereuse au Brésil.

Des situations «chaudes»: à Bamako au Mali où je m'étais rendue à la demande de la ministre de l'Éducation de la communauté française de Belgique qui présidait la Table des ministres de l'Éducation des pays ayant la langue française en partage — une des institutions de la Francophonie — pour participer à un forum sur la formation professionnelle, j'ai connu littéralement la journée la plus chaude de ma vie. Le forum se tenait dans un très beau centre des congrès situé sur une colline un peu en surplomb de Bamako. Ce centre avait été construit clés en main par les Chinois qui sont très actifs en Afrique, surtout dans les pays qui possèdent des ressources naturelles abondantes. Mais contrairement aux édifices traditionnels africains aménagés avec de nombreuses ouvertures afin de permettre la circulation d'air, ce centre est complètement fermé et climatisé. Or, voilà qu'en plein milieu de l'après-midi, la génératrice qui alimentait le bâtiment en électricité tomba en panne. Plus d'éclairage! La conférence se poursuivit aux chandelles! Et surtout, alors qu'il faisait 42 degrés à l'extérieur, plus de climatisation. La température se mit à monter. Il fit bientôt tellement chaud que cela devint insupportable. L'eau nous coulait littéralement sur le corps. Ma blouse était à ce point trempée que j'aurais pu la tordre. Je n'ai jamais eu aussi chaud. Finalement ce sont des membres de la délégation québécoise, formés dans nos écoles professionnelles, qui décidèrent de s'en mêler et qui allèrent identifier et régler le problème : pour épargner l'électricité qui coûte très cher au Mali, on avait coupé le ventilateur qui servait à refroidir la génératrice ! Le forum put ensuite se poursuivre et fut une réussite.

Des situations réjouissantes : après cette mission au Mali, je me rendis à Cotonou au Bénin, pour inaugurer la Place du Québec, constituée d'un centre culturel et d'un centre multimédia, dont le gouvernement québécois avait financé la construction à la suite d'un engagement pris dans le cadre de projets de coopération de la Francophonie. J'aurais le plaisir, quand je présiderais la fondation des parlementaires « Cultures à partager », de retourner en 2006 à Cotonou, d'aller porter un lot de livres à ce même centre et de revoir, non sans émotion, la plaque commémorative qui y était apposée, sur laquelle mon nom était inscrit. Malheureusement, l'entretien du centre, confié à la municipalité, laissait à désirer et le lieu s'était un peu délabré.

Des situations embarrassantes : au cours de la même mission en Afrique, toujours au Bénin, on m'emmena visiter une école primaire où je devais remettre des trousses scolaires aux élèves. Or, on m'avait organisé une réception trop grandiose, dans un style « colonial » qui me mettait mal à l'aise, avec tous les enfants qui agitaient des petits drapeaux du Québec en criant : « Bienvenue Madame Marois ! Bienvenue Madame Marois ! » Heureusement, Michel Faubert, invité par la délégation du Québec, était là pour détendre l'atmosphère avec ses chansons et ses contes.

Des situations émouvantes: toujours pendant ce séjour en Afrique, lors d'un banquet tenu en mon honneur, je rencontrai une femme d'une beauté exceptionnelle vêtue d'un boubou — la robe traditionnelle africaine — absolument remarquable, qui avait la même couleur mauve que ma robe de mariée. Je lui dis à quel point je trouvais sa robe extraordinaire. Le lendemain, je trouvais un boubou exactement pareil — peut-être était-ce le même — dans un colis déposé à mon attention à mon hôtel. Bien sûr, je lui ai écrit pour la remercier et je repense à ce voyage chaleureux quand je porte cette robe.

Des situations réconfortantes: à Genève, lors d'une conférence internationale sur le développement social en 2000, j'eus la chance de rencontrer Gro Harlem Brundtland, ancienne première ministre de Norvège qui était devenue directrice générale de l'Organisation mondiale de la Santé (OMS). J'étais alors ministre de la Santé et, peu auparavant, j'avais décidé d'envoyer des patients québécois atteints de cancer se faire traiter aux États-Unis parce que nous manquions de ressources pour les soigner au Québec. J'avais été durement critiquée pour cela. Au cours de la discussion passionnante que nous eûmes ensemble, je fus amenée à lui raconter cet événement. Elle me dit qu'elle avait eu, comme première ministre de la Norvège, à vivre une situation similaire et qu'elle avait pris la même décision. «Madame Marois, ajouta-t-elle, quand la vie d'une personne est en danger, notre devoir est de tout faire pour l'aider, peu importe la réaction des médias et de l'opinion publique. »

Si ces missions à l'étranger sont l'occasion de faire de très belles rencontres avec des personnalités étrangères qui partagent souvent les mêmes préoccupations et les mêmes valeurs que nous, elles sont aussi l'occasion de voir à l'œuvre des Québécoises et des Québécois qui, partout dans le monde, travaillent à des projets de coopération. Je pense, par exemple, à ces professeurs à la retraite croisés au Vietnam où ils enseignaient le français. Ou encore à ce jeune Québécois rencontré dans une favela au Brésil qui, dans le cadre d'un programme financé par le Cirque du Soleil, apprenait aux jeunes de la rue à chanter, à danser et à réaliser des numéros de cirque.

Revenons en 1998. À l'automne, Lucien Bouchard qui, rappelons-le, n'avait pas été élu premier ministre du Québec mais désigné à ce poste par suite de son accession à la direction du Parti Québécois après la démission de Jacques Parizeau, déclencha des élections générales.

Notre mandat électoral tirait à sa fin. Le premier ministre voulait obtenir un vote de confiance des Québécois envers son gouvernement et se donner un rapport de force politique face à Ottawa qui, depuis le référendum de 1995 dont les résultats avaient provoqué une véritable panique chez les fédéralistes, multipliait les manœuvres politiques et financières pour encercler et affaiblir le Québec.

Quelques mois plus tôt, la Cour suprême du Canada avait donné raison au ministre fédéral Stéphane Dion, qui deviendra leader des libéraux fédéraux et qui, à la demande du premier ministre du Canada, Jean Chrétien, et au nom d'une prétendue « clarté référendaire », avait fait voter par le Parlement canadien une loi établissant que seul le gouvernement fédéral aurait dorénavant le droit de juger si une éventuelle question référendaire sur la souveraineté du Québec était recevable ou non. En réponse à cette atteinte grave au droit à l'autodétermination du peuple québécois, l'Assemblée nationale du Québec avait adopté à l'unanimité une motion proclamant qu'elle était la seule qualifiée pour établir une question référendaire. Le bureau du premier ministre avait alors orchestré, sur le thème « Alouette, je t'y plumerai... », une importante campagne de sensibilisation publique sur cette question, sans pour autant réussir à faire sortir la population québécoise de son apparente indifférence.

Qui plus est, tout en accentuant sa présence dans les champs de juridiction du Québec, le gouvernement canadien diminuait de façon massive, année après année, ses transferts d'argent au gouvernement du Québec, créant ainsi un déséquilibre fiscal insoutenable qui étranglait littéralement nos finances publiques et handicapait sérieusement notre capacité à assurer correctement les services aux citoyens, notamment dans le domaine de la santé. Encore là, sans que nous arrivions à comprendre pourquoi, la population ne réagissait pas.

Il n'était pas imaginable, dans un tel contexte, de faire une campagne électorale sur le thème de la souveraineté. Il était on ne peut plus clair que les Québécois ne voulaient pas entendre parler d'un nouveau référendum. Lucien Bouchard avait d'ailleurs pris l'engagement de ne pas tenir de référendum tant que les « conditions gagnantes » ne seraient pas réunies, en d'autres mots tant que nous n'aurions pas la certitude de le gagner. Il n'est pas question, disait-il, de mettre le peuple québécois dans une position de se dire NON une troisième fois en une génération.

Nous nous lançâmes donc, tambour battant et sur le slogan « Moi, j'ai confiance ! » dans la campagne électorale — c'était ma sixième ! —, moi faisant valoir notamment les « garderies à cinq dollars », Bernard Landry une économie en remontée, le premier ministre l'assainissement des finances publiques et, de surcroît, tous trois dénonçant avec force le fait qu'Ottawa règle son déficit budgétaire sur le dos des provinces. En toile de fond de cette campagne, il y avait aussi la crise du verglas que le Québec avait subie l'hiver précédent. Nous espérions que la population se souviendrait du leadership démontré par le premier ministre lors de cette grave catastrophe naturelle et de la façon magistrale avec laquelle il l'avait gérée. Nous avions en face de nous, drapé dans son habit de défenseur du fédéralisme, Jean Charest, qui avait quitté la direction du

Parti conservateur fédéral pour devenir chef du Parti libéral du Québec.

Malheureusement, à l'exception des services de garde, le débat électoral ne porta pas sur le bilan, pourtant plus qu'honorable, des actions de notre gouvernement. Dès le début, la campagne se concentra autour des questions reliées à la santé devenues alors une véritable obsession des médias. L'assemblée d'investiture de Lucien Bouchard dans son comté dut même être retardée de plusieurs heures parce que ce dernier était occupé, avec Jean Rochon, à régler un épineux conflit provoqué par la fusion des hôpitaux de Chicoutimi et de Jonquière. Je fus moi-même victime de cette situation le jour où, avec Lucien Bouchard, je devais annoncer nos engagements en matière d'éducation. Le matin même, *La Presse* imputa au régime d'assurance médicaments la responsabilité du décès de cinq personnes. Cette manchette perturba complètement notre événement et relégua notre annonce dans l'ombre.

Il fallait bien s'y attendre. Depuis des mois, les médias multipliaient les reportages sur les problèmes rencontrés par les citoyens dans le système de santé, Radio-Canada et TVA allant jusqu'à recenser, soir après soir, comme un bulletin de météo, la longueur des files d'attente et le nombre de civières occupées dans les urgences des hôpitaux! Depuis des mois aussi, les périodes de questions à l'Assemblée nationale étaient consacrées presque entièrement au ministre de la Santé, Jean Rochon, devenu le bouc émissaire. Homme discipliné et solidaire, il ne faisait pourtant qu'appliquer les décisions de notre gouvernement.

La diminution des transferts fédéraux avait des impacts vraiment néfastes sur le système de santé québécois. Mais plutôt que d'imputer les difficultés à leurs véritables responsables, le premier ministre du Canada, Jean Chrétien, et son ministre des Finances, Paul Martin, on jetait tout le blâme sur la politique de déficit zéro de Lucien Bouchard. Il est vrai, cependant, que certaines décisions prises dans le cadre des compressions budgétaires eurent des effets pervers non prévus et non souhaités. Ainsi, le gouvernement et ses partenaires patronaux et syndicaux du secteur de la santé avaient mal évalué l'impact de l'entente qu'ils avaient établie afin d'offrir une compensation financière aux employés de la santé qui désiraient quitter leur métier. Alors qu'on s'attendait à ce qu'environ trois mille d'entre eux s'en prévalent, ce furent plus de dix mille qui partirent alors que la relève, en particulier chez les infirmières, ne pourrait être prête avant de nombreuses années.

Malgré tous nos efforts pour mettre en avant nos réussites et nos projets, la campagne porta donc essentiellement sur la santé, thème qui nous était défavorable.

Le 30 novembre 1998, nous avons remporté les élections quant au nombre de sièges — soixante-dix-sept pour le Parti Québécois contre quarante-six pour le Parti libéral et un seul pour l'ADQ — mais non pas quant au pourcentage des votes, puisque nous avions

obtenu 42,9 % des suffrages contre 43,6 % pour les libéraux et 11,8 % pour l'ADQ. J'étais bien sûr très heureuse
d'être réélue avec une majorité confortable dans mon
comté de Taillon mais plutôt déçue, on le comprendra
facilement, des résultats d'ensemble. Pour sa part,
Lucien Bouchard était catastrophé. On était loin du
vote de confiance espéré ! Près du quart de l'électorat
(23 %) s'était abstenu d'aller voter.

Me rappelant ce que le premier ministre m'avait dit
lors de ma nomination à l'Éducation, j'espérais et je
pensais bien qu'il me laisserait poursuivre mon travail
au ministère de l'Éducation et à celui de la Famille et
de l'Enfance. J'avais acquis beaucoup d'expérience et
d'assurance dans ces dossiers. Le milieu de l'éducation
souhaitait d'ailleurs que je reste en poste. Pour n'en
donner qu'un exemple, une association de cadres du
milieu scolaire, réunie en congrès quelques semaines
plus tôt, avait réclamé du premier ministre qu'il me
maintienne à la tête du ministère de l'Éducation. Et
puis, il y avait tant à faire pour compléter la mise en
œuvre des réformes majeures que j'avais engagées avec
enthousiasme. Aussi fus-je consternée et profondément
déçue quand, en formant son nouveau Conseil des
ministres le 15 décembre, Lucien Bouchard, tout en me
laissant la responsabilité de la Famille et de l'Enfance,
m'écarta de l'Éducation pour me nommer ministre de
la Santé et des Services sociaux en remplacement de

Jean Rochon. Pour m'appuyer, il nomma également Gilles Baril ministre délégué à la Santé, aux Services sociaux et à la Protection de la jeunesse. Il serait un excellent ministre avec lequel j'aurais plaisir à travailler. Avec l'aide de Hubert Thibault, son remarquable chef de cabinet, il me présenta ce changement comme une reconnaissance de mes qualités de gestionnaire et de mes capacités de trouver des solutions. Il m'assura, par ailleurs, qu'il prévoyait recevoir plus d'argent d'Ottawa dans l'année à venir et qu'il entendait en consacrer une bonne partie au secteur de la santé. Peu convaincue par ses arguments, je crois bien lui avoir répondu que lorsque ça va mal quelque part, c'est toujours à une femme qu'on demande de prendre la relève !

J'acceptai néanmoins, par sens du devoir et par loyauté envers Lucien Bouchard, de relever le défi et je fis mes adieux au ministère de l'Éducation où, comme je le mentionnai dans mon discours de départ, j'étais entrée à reculons et que je quittais avec une réelle tristesse et à nouveau à reculons, ce qui fit bien rire mon auditoire malgré les circonstances. Ce discours fut d'ailleurs pour moi un moment de grande émotion car, alors que d'habitude seuls les proches collaborateurs du ministre se réunissent pour souligner son départ, tout le personnel du ministère s'était cette fois-là rassemblé pour me remercier et m'applaudir longuement. On m'offrit à cette occasion un vitrail, représentant un enfant sur un cheval, réalisé par deux élèves de 6e année de l'école Saint-Émile de Montréal. Je l'ai toujours conservé près de moi par la suite. Il est aujourd'hui affiché sur le mur de mon bureau de comté dans Charlevoix.

Ma première journée de travail au ministère de la Santé fut tout sauf exaltante. Je visitai les locaux, qui n'avaient probablement pas été rénovés depuis plus de vingt ans. Entreprise un peu plus tard, la rénovation des bureaux du ministère me valut d'ailleurs de connaître un des épisodes les plus farfelus de ma vie politique. Je veux parler bien sûr de cette fameuse histoire des « toilettes de la ministre » inventée de toutes pièces par une journaliste du quotidien *The Gazette*. En fait, c'est la Société immobilière du Québec, responsable de la gestion des édifices gouvernementaux, qui procéda à ces nécessaires rénovations. Comme elles étaient conformes aux normes, j'en approuvai bien sûr les plans. Or, parmi bien d'autres choses, ces plans prévoyaient de rendre silencieuse une salle de toilette située entre deux salles de réunion afin que les bruits provenant de celle-là ne viennent pas troubler les délibérations tenues dans celles-ci. *The Gazette* s'empara de cette histoire et la monta en épingle, prétendant à tort qu'il s'agissait de mes toilettes particulières et imputant faussement à la rénovation de celles-ci l'ensemble des coûts de restauration de tout l'étage ! Ainsi naquit la légende urbaine d'une ministre « dépensière aux goûts luxueux », légende qui circule encore aujourd'hui.

Mais revenons à cette première journée au ministère. Après la visite des bureaux, on m'installa dans une salle de réunion où les sous-ministres et les principaux cadres du ministère entreprirent de m'informer des différents dossiers. Cela ressemblait en réalité à une longue litanie de problèmes pour lesquels on ne voyait poindre aucune lumière au bout du tunnel.

Je ne m'en mis pas moins à la tâche pour apprivoiser mon nouveau ministère. Le système de santé québécois — avec sa pléthore d'organismes, hôpitaux, CLSC, CHSLD, CRSS, etc., à en perdre son latin, avec ses nombreuses corporations professionnelles, avec son armée de fonctionnaires qui administrent le tout, avec sa technologie et sa kyrielle de médicaments qui évoluent aux deux ans et qui entraînent des hausses de coûts faramineuses — est un véritable monstre qu'il n'est guère facile de diriger. Dès mon arrivée, je demandai à Lucien Bouchard de nommer Pierre Roy, qui avait une excellente connaissance du réseau et de la fonction publique, au poste de sous-ministre. Je retrouvai aussi Laurent Émond qui dirigeait les communications du ministère. Depuis lors et jusqu'à aujourd'hui, il a souvent mis sa réflexion et ses talents de communicateur à mon service.

Pendant les premiers mois, avec, notamment, l'aide précieuse de Pierre Beaudet, conseiller à mon cabinet, je me soumis à une intense activité de formation accélérée, recevant tous les groupes concernés, écoutant avec attention les uns et les autres pour saisir le mieux possible leurs diverses réalités. À chacun, je posais la question suivante : « Si vous étiez ministre de la Santé, quelles seraient vos priorités ? » Je me rendis compte alors à quel point les artisans de notre système de santé et de services sociaux avaient peu d'occasions d'exprimer leurs opinions, eux qui sont pourtant les mieux à même de comprendre les problèmes et d'identifier les bonnes solutions.

Au cours de la même période, je fréquentais moi-même les hôpitaux, allant visiter régulièrement mon père hospitalisé à l'hôpital Laval à Sainte-Foy, où il mourut peu après. Qui plus est, comme ministre de la Santé, j'effectuais des visites surprises dans les urgences, ce qui m'a permis de mieux comprendre leurs difficultés. Dès mon entrée en fonction, j'avais par ailleurs décidé de convoquer, en octobre 1999, un Forum sur les urgences. En juin 2000, une deuxième rencontre fut convoquée avec les vingt-trois partenaires du réseau afin de faire le suivi du plan d'action que nous avions adopté, notamment quant au programme de rénovation des urgences.

Mes rencontres avec les spécialistes et un état de la situation préparé par le Dr Deschesnes me sensibilisèrent, par ailleurs, au phénomène préoccupant des listes d'attente en orthopédie, en ophtalmologie, en cardiologie et en oncologie. Comme, dans ces deux derniers domaines, c'est la vie même des patients qui était en jeu, je décidai de m'en occuper en priorité. L'ajout de ressources et l'augmentation du temps d'opération nous permirent de réduire promptement la liste d'attente en cardiologie. Cependant, en oncologie, il n'était pas possible de combler rapidement le manque de personnel qualifié. Aussi, en attendant que notre plan d'action pour accélérer la formation des ressources et en recruter à l'étranger donne des résultats, je pris la décision d'envoyer des patients atteints de cancer du sein ou de la prostate se faire soigner dans deux cliniques aux États-Unis. On me critiqua beaucoup pour cette décision, que je reprendrais pourtant sans hésitation si elle permettait de sauver des vies.

J'organisai aussi, en septembre 2000, un Forum national sur la santé mentale. Présidé par Louis Blanchette, il rassemblait à la fois — c'était une première — des personnes souffrant elle-mêmes de problèmes de santé mentale et des représentants des organismes spécialisés et des organismes communautaires qui firent consensus sur la nécessité de miser en ce domaine sur le milieu de vie et de mobiliser les proches et les groupes d'entraide.

La même année, je mis sur pied la Commission d'enquête sur les services de santé et les services sociaux, communément appelée Commission Clair, du nom de son président. Après six mois de consultations ouvertes et de réflexions courageuses, la Commission me remit son rapport le 17 janvier 2001. Celui-ci, généralement bien accueilli par le milieu et par la population, réaffirmait avec force les valeurs d'équité, de solidarité et de compassion qui constituent les fondements de notre système de santé et mettait en avant pas moins de quatre-vingt-quinze propositions de changement — entre autres la création de groupes de médecine familiale — dont j'amorcerai la mise en œuvre.

C'est à l'occasion de mon passage à la Santé que fut aussi mis en marche le projet de construction d'un nouveau CHUM à Montréal. Le Centre hospitalier de l'Université McGill travaillait déjà, avec succès, à la création de son nouveau centre. Pendant ce temps, les trois composantes du Centre hospitalier de l'Université de Montréal, les hôpitaux Hôtel-Dieu, Saint-Luc et Notre-Dame, vivaient une difficile cohabitation. Je leur proposai de s'orienter vers un seul grand établissement, avec des équipements modernes, à la hauteur des besoins et des attentes d'un centre universitaire d'envergure. En 1999, je donnai le mandat à la Corporation d'hébergement du Québec — bras immobilier du gouvernement dans le secteur de la santé — d'évaluer chacun des trois sites en vue d'un éventuel regroupement. Mais la Corporation ne retint aucun des trois et me recommanda plutôt, de concert avec la Ville de Montréal, d'opter pour un nouvel emplacement, coin Rosemont et Saint-Denis. Je fis rapport de ce projet, en décembre 1999, à Lucien Bouchard qui se montra emballé. C'est ainsi qu'au début de 2000, avec l'appui enthousiaste du recteur de l'Université de Montréal, Robert Lacroix, et du doyen de la Faculté de médecine, Patrick Vinay, le premier ministre et moi avons annoncé la mise en œuvre du nouveau CHUM au 6000, rue Saint-Denis et la création d'un comité d'implantation sous la présidence de Claude Béland. J'avais désigné Raymonde Fréchette, attachée politique à mon cabinet, pour suivre ce dossier avec attention. J'étais heureuse d'avoir mobilisé toute la communauté médicale francophone qui retrouvait enfin motivation et espoir.

En somme, je suis heureuse de ce que j'ai réalisé pendant les deux ans et quatre mois où j'ai dirigé ce ministère. Grâce notamment au soutien compétent de Nicole Léger, députée de Pointe-aux-Trembles, devenue ministre déléguée à la Famille et à l'Enfance — qui, à ce titre, joua un rôle important dans la mise en place de la politique familiale et des CPE, de même que dans l'amélioration de la rémunération des travailleuses en garderie — et avec qui je développai au fil du temps une belle complicité, je pus consacrer l'essentiel de mes énergies à rétablir le calme dans le ministère de la Santé et des Services sociaux qui avait été durement touché par nos compressions budgétaires. À cette même époque, je menai aussi la bataille pour rapatrier au Québec la partie des fonds de l'assurance-emploi consacrée aux congés parentaux. Qui plus est, je parvins à donner un souffle nouveau à ce ministère et à injecter plusieurs milliards de dollars d'argent neuf dans le réseau, ce qui relevait presque de l'exploit dans l'état où se trouvaient alors les finances du Québec. Si Lucien Bouchard m'avait généralement soutenue dans cette tâche, j'avais pu aussi compter sur l'appui indéfectible et la complicité du Secrétaire général du gouvernement, Michel Noël-de-Tilly.

En dirigeant le ministère de la Santé, je ne me doutais pas que ce poste, dans le contexte qui prévalait alors, ne me laisserait pas intacte et que mon image en pâtirait. Dans *Le Soleil* du 22 avril 2000, on faisait le constat suivant: «Dans les jours suivant l'annonce du départ de Jacques Parizeau, en novembre 1995, la firme

Sondagem avait demandé à plus de mille Québécois qui ils aimeraient voir lui succéder à l'exception de Lucien Bouchard. Pauline Marois, qui venait tout juste d'être nommée aux Finances, avait été le choix de 36 % des personnes interrogées [...]. Sondagem a refait le même exercice en octobre 1999, demandant, cette fois, qui devrait éventuellement succéder à monsieur Bouchard. Après dix mois passés à la Santé, la cote de madame Marois était tombée à 21,6 %. [...] Le mois dernier, Léger et Léger a posé la même question. La popularité de madame Marois avait encore baissé. Seulement 18,8 % voyaient en elle la meilleure candidate à la succession de monsieur Bouchard. »

La vie de ministre de la Santé n'est vraiment pas de tout repos. Il ne s'écoule pas une heure dans une journée sans que survienne un problème dans le réseau. La population qui, vieillissante, fait de plus en plus appel au système de santé, semble parfois s'attendre à ce que toutes les difficultés soient réglées sur-le-champ. La santé est devenue une véritable hantise pour la population, pour les médias et pour le gouvernement. Quand j'en fus la ministre responsable, il m'a semblé à certains moments que mes collègues s'attendaient quasiment à ce que j'aille moi-même soigner les patients dans les hôpitaux. Je me souviens notamment du passage à l'an 2000. J'avais retardé au début du mois de janvier mes vacances de Noël afin de m'assurer que le fameux «bogue» n'affecterait pas les systèmes informatiques du réseau de la santé. Rassurée, je suis donc partie au Mexique avec mon mari. Quatre jours plus tard, j'ai dû revenir en catastrophe pour régler un problème de débordement dans les urgences.

La santé et les services sociaux sont aussi le domaine où se vivent les drames humains les plus intenses. Mon passage à ce ministère me marquera pour le reste de ma vie. J'y ai traversé des moments de grande détresse. Je me souviens en particulier de cette journée où je reçus les victimes du sang contaminé que le gouvernement fédéral refusait avec intransigeance d'indemniser. Leur désespoir et leur colère légitimes étaient insoutenables.

Mais, il faut quand même le dire, au-delà des problèmes que connaît notre système de santé — loin de moi l'idée de les nier ou de les amenuiser —, quand on le compare à tête reposée à ceux des autres pays, il ressort clairement comme l'un des meilleurs au monde quant à la qualité des soins. Les usagers ne s'y trompent d'ailleurs pas, eux qui, sondage après sondage, se déclarent dans leur grande majorité très satisfaits des soins qu'ils y reçoivent.

Le 11 janvier 2001, à mon grand regret car je m'étais toujours bien entendue avec ce premier ministre qui m'honorait de sa confiance et avec qui j'avais des relations cordiales, Lucien Bouchard prit tout le monde par surprise en annonçant son retrait de la vie politique.

J'ai eu beaucoup de plaisir à travailler avec Lucien Bouchard. Contrairement à son image publique, c'est un homme doté d'un grand sens de l'humour, moqueur, qui plus est conteur remarquable, pouvant faire crouler de rire son auditoire. Je me souviens notamment des jours où nous nous sommes retrouvés en quelque sorte enfermés dans son bureau de l'édifice d'Hydro-Québec à Montréal lors de la grève des infirmières en juin 1999. Accompagnés de Jacques Léonard, président du Conseil du trésor, et des négociateurs patronaux, nous tentions en vain d'en arriver à une entente avec la Fédération des infirmières et des infirmiers du Québec (FIIQ) représentée par sa présidente, Jennie Skeene, et sa vice-présidente, Lina Bonamie. Une nuit, nous avons même dormi dans ce bureau, Lucien Bouchard dans son fauteuil, Jacques Léonard par terre sur le tapis et moi-même sur le divan. Au cours de ces journées où nous passions de longues heures à attendre les réponses de nos interlocuteurs syndicaux, Lucien Bouchard nous régala d'anecdotes toutes plus savoureuses les unes que les autres.

Signe de la confiance que Lucien Bouchard avait en mon équipe, il est régulièrement venu « voler » des membres de mon personnel pour les amener à son cabinet : Pierre D'Amour, Claude Plante et Christiane Miville-Deschênes, ma compétente et aguerrie attachée de presse. Il nomma aussi un de mes conseillers, Sylvain Tanguay, à la direction du parti. Christiane Miville-Deschênes reviendra à mes côtés comme directrice des communications lorsque je deviendrai chef du Parti Québécois. D'ailleurs, j'ai souvent eu l'impression que mon cabinet constituait une véritable équipe de relève. Une autre collaboratrice, Sylvia Provost, se retrouvera au cabinet d'André Boisclair. Dominique Lebel deviendra chef du cabinet de Gilles Baril. Maxime Barakat et Marina Binotto se verront offrir des postes intéressants dans d'autres secteurs d'activité.

Plusieurs raisons motivaient la décision de Lucien Bouchard de démissionner. D'abord, c'était un secret de Polichinelle que son épouse vivait difficilement les exigences de son métier, et comme chef de parti et comme premier ministre. Lui-même, qui venait de célébrer son soixante-deuxième anniversaire de naissance, éprouvait passablement de regrets de n'être pas plus présent auprès de ses jeunes enfants qu'il avait eus sur le tard.

Il était aussi de notoriété publique que Lucien Bouchard avait des relations difficiles avec le Parti Québécois. Ce parti est un parti d'idées depuis les origines et non un regroupement d'affairistes. Il ressemble davantage aux partis politiques de culture européenne qu'aux partis nord-américains. René Lévesque, qui en était le fondateur, avait su s'en accommoder en frappant du poing sur la table à l'occasion. Pierre-Marc Johnson n'avait, quant à lui, pas su l'apprivoiser. Jacques Parizeau y nageait comme un poisson dans l'eau. Lucien Bouchard, pourtant porté aux nues par les militants, n'était vraiment pas à l'aise avec son indiscipline.

Par ailleurs, il était ébranlé par les remous de «l'affaire Michaud» qui défrayait les manchettes depuis plusieurs semaines. On se souviendra qu'Yves Michaud, militant indépendantiste de la première heure, avait tenu des propos controversés en affirmant que «le peuple juif n'a pas l'exclusivité de la souffrance». Y voyant une banalisation du génocide dont le peuple juif a été la victime, l'Assemblée nationale avait voté une condamnation de ses propos.

Plus fondamentalement, Lucien Bouchard ne voyait plus par quel bout reprendre le combat pour la souveraineté. Il était découragé par l'apparente indifférence des Québécois devant les attaques constantes du gouvernement fédéral contre les pouvoirs du Québec et face au déséquilibre fiscal fédéral-provincial qui était en train de handicaper pour longtemps la capacité d'agir du gouvernement québécois. Il comprenait mal, dans ce contexte, que plus de 35 % des Québécois aient accordé leur voix au Parti libéral du Canada et contribué ainsi à la réélection triomphale de Jean Chrétien, l'émule du centralisateur Pierre Elliott Trudeau, lors des élections fédérales qui s'étaient tenues quelques mois plus tôt, le 27 avril 2000. Pour Lucien Bouchard, c'était la goutte d'eau qui avait fait déborder le vase.

Nous vivons dans un monde où le Québec, surtout quand le Parti Québécois est au pouvoir, est perçu par sa population comme un État souverain, ce qu'il n'est pas. Oubliant le rôle majeur que joue le gouvernement fédéral, on impute souvent au gouvernement québécois tous les problèmes et on exige de lui qu'il les règle tous.

Pourtant, chaque fois que nous demandons au peuple québécois de faire le dernier pas pour que nous soyons enfin vraiment responsables de tout, il prend peur et recule.

Le Québec est ainsi fait. « Schizophrène », disait le regretté Camille Laurin, psychiatre de son état avant de faire de la politique, en nous rappelant que nous sommes sans doute le seul peuple au monde à avoir érigé un monument à la gloire à la fois du vainqueur et du vaincu comme nous l'avons fait avec la statue unissant Montcalm et Wolfe à Québec.

CHAPITRE 5

Les années Landry

AUCUNE RUMEUR NE PRÉCÉDA la nouvelle du départ de Lucien Bouchard. Aussi, comme l'ensemble des ministres et des députés du Parti Québécois, comme les journalistes et les observateurs de la scène politique, je fus surprise par l'annonce subite de sa démission.

J'appris sa décision quelques jours avant qu'il ne la rende publique alors que j'étais en vacances avec mon mari, mes enfants et ma mère à la Martinique. Ces vacances hivernales, que nous prenons chaque année dans le temps des fêtes, sont pour moi, qui suis trop souvent éloignée des miens, un moment privilégié et irremplaçable de retrouvailles familiales. Cette année-là, le hasard avait fait que Bernard Landry fût également à la Martinique. Nous nous étions d'ailleurs rencontrés à l'occasion d'un repas dans un restaurant sur la plage de Sainte-Anne qui fut très agréable et nous permit de renouer nos liens. Mon retour était prévu pour le 12 janvier. Or, le 8 janvier, je reçus un appel de Hubert Thibault, directeur de cabinet de Lucien Bouchard, qui m'annonça que le premier ministre avait décidé de quitter ses fonctions et qu'il me demandait de rentrer le plus tôt possible. Écourtant mes vacances, bouleversée, je revins dès le lendemain et, le 10 janvier, j'eus une rencontre en tête à tête avec Lucien Bouchard. Je tentai bien sûr de le convaincre de revenir sur cette décision que je jugeais malheureuse mais il me fit comprendre clairement que, pour toutes les raisons que j'ai déjà mentionnées, elle était irrévocable. Il me recommanda amicalement, dans l'hypothèse où je voudrais prendre la direction du parti et du gouvernement, de me manifester rapidement. J'aurais dû suivre son conseil.

Il était évident que Bernard Landry briguerait la succession de Lucien Bouchard. Il ne s'en cachait d'ailleurs pas. En fait, il se préparait à cette éventualité depuis longtemps. Cela faisait plusieurs années qu'il avait mis sur pied, sur le modèle des clubs politiques français, un groupe de réflexion qui alimentait ses analyses politiques. Ministre des Finances et vice-premier ministre, jouant de ce fait un rôle-clé dans le gouvernement, il comptait de nombreux appuis dans le parti où il s'affichait comme le porteur du flambeau souverainiste. Il pouvait, de surcroît, s'appuyer sur des sondages qui lui étaient favorables. Par ailleurs, les médias voyaient plutôt d'un bon œil qu'il succède à Lucien Bouchard et il pouvait miser sur le sentiment assez répandu dans l'opinion publique que « c'était à son tour » après toutes ses années de bons et loyaux services. En somme, la conjoncture lui était favorable. Aussi, prenant tout le monde de court, annonça-t-il rapidement sa candidature.

Pour ma part, je souhaitais ardemment qu'il y ait une course à la direction — les deux derniers chefs avaient été désignés par acclamation — mais j'étais tiraillée quant à mes intentions. J'étais tellement occupée à résoudre les innombrables problèmes du réseau de la santé et des services sociaux, à me battre jour après jour pour obtenir des ressources supplémentaires dans le budget qui était alors en préparation, que je n'avais pas vraiment pris le temps de me préparer à cette éventualité. Surtout, je me sentais à ce point responsable du dossier névralgique de la santé, qui était en crise financière, que je me demandais si mon devoir n'était pas de demeurer à la tête du ministère.

D'un autre côté, il me semblait que mon expérience me donnait la légitimité d'aspirer à devenir chef du Parti Québécois. J'étais donc tentée d'aller de l'avant. Je décidai d'abord de prendre le pouls de mes collègues et de soupeser mes appuis. Dès le lendemain de la démission de Lucien Bouchard, entre le 12 et le 14 janvier, j'entrai en communication avec tous mes collègues députés et ministres, de même qu'avec les principaux dirigeants du parti. Je constatai que la plupart d'entre eux ne désiraient pas une course à la chefferie et qu'un bon nombre s'étaient d'ores et déjà ralliés à la candidature de Bernard Landry. Même mes collègues féminines, sur qui j'espérais pouvoir compter, ne semblaient pas, à quelques exceptions près, disposées à m'appuyer. Seuls Marc Boulianne, Jocelyne Caron, David Cliche, Lise Leduc, Jean-Guy Paré et Hélène Robert m'accordaient leur soutien. Toutefois, un autre éventuel aspirant, François Legault — homme d'affaires émérite qui avait été l'un des fondateurs d'Air Transat avant de faire, à la demande de Lucien Bouchard, le saut en politique en 1998 —, vint me rencontrer et me proposa de sortir des sentiers battus en constituant avec lui un « tandem à l'américaine » pour affronter ensemble Bernard Landry : moi visant le poste de chef et de premier ministre, lui me soutenant et devenant éventuellement vice-premier ministre. Avec mon équipe, j'évaluai qu'il me serait impossible de l'emporter sur Bernard Landry sans conclure une telle alliance avec François Legault. Nous avons donc entrepris des discussions sur une éventuelle plate-forme commune. Mais il se ravisa peu après et choisit plutôt d'appuyer la candidature de Bernard Landry. Il m'annonça son désistement le 16 janvier, lors de la réunion du Conseil des ministres.

Aurais-je dû maintenir ma candidature malgré tout ? Peut-être, mais, d'une part, les pressions de plusieurs députés et militants pour que je me rallie à Bernard Landry au nom de « l'union sacrée » du parti et que j'épargne à celui-ci une course qui aurait pu être déchirante à moins de deux ans d'une échéance électorale se faisaient chaque jour un peu plus vives et, d'autre part, mes chances de gagner paraissaient minces.

Entre-temps, Bernard Landry, qui m'avait clairement prise de vitesse dans cette course, sollicita une rencontre avec moi. Je le reçus à mon domicile le 20 janvier, dans une atmosphère plutôt tendue. Il plaida avec vigueur contre une course à la chefferie qui risquerait d'affaiblir le Parti Québécois à un moment où, selon lui, nous devions plutôt resserrer les rangs. Il m'invita à soutenir sa candidature en me proposant non seulement de devenir vice-première ministre mais aussi de choisir le poste ministériel qui me plairait. Pour ma part, toujours préoccupée par la situation des services de santé et ne voulant pas abandonner mes responsabilités, je lui demandai de s'engager à y investir des ressources supplémentaires.

Une semaine plus tard, ayant résisté à la pression des journalistes qui me pourchassaient pour connaître ma décision, après avoir consulté mes principaux collaborateurs et m'être complètement isolée pendant trois jours pour réfléchir à mon avenir — je songeai brièvement mais sérieusement à quitter la vie politique —, j'avais retrouvé ma sérénité. J'annonçai publiquement, à la veille du Conseil national du Parti Québécois, ma décision de ne pas me présenter et de me rallier à Bernard Landry.

Au début de mars 2001, Bernard Landry devint le cinquième chef du Parti Québécois et de ce fait, le 8 mars, premier ministre désigné du Québec. Il me nomma immédiatement vice-première ministre et ministre d'État à l'Économie et aux Finances, ce qui faisait de moi le numéro deux du gouvernement.

Revenir au ministère des Finances, que j'avais dirigé avec plaisir pendant quelques mois en 1995-1996, me permettrait de mettre en avant les valeurs de solidarité, de justice sociale et d'équité auxquelles je croyais. C'était aussi la meilleure façon de venir en aide aux réseaux d'éducation et de santé. J'emmenai avec moi une partie de mon équipe dont Nicole Bastien, fidèle attachée de presse qui me suivit dans trois ministères. Je recrutai aussi de jeunes attachés politiques talententeux, Michel Filion et Catherine Labonté. J'y retrouvais, sous la direction compétente du sous-ministre, Gilles Godbout, une équipe expérimentée et rigoureuse. Le travail ne manquait pas et le défi était considérable car j'avais, en plus des Finances, la responsabilité de l'Économie, y compris — et c'était une première qui me réjouissait — l'économie sociale. En outre, j'étais ministre de la Recherche, de la Science et de la Technologie, avec le concours de David Cliche, nommé ministre délégué à la Recherche, à la Science et à la Technologie. Cependant, contrairement à Bernard Landry dans le cabinet de Lucien Bouchard, je n'obtenais pas la responsabilité du ministère de l'Industrie, du Commerce et du Tourisme, qui était confiée à Gilles Baril. Le premier ministre voulait ainsi à raison éviter toute apparence de conflit d'intérêts car la Société générale de financement, qui relevait de ce ministère, était dirigée par mon mari. Cette division des responsabilités avait toutefois le désavantage de rendre plus difficile la coordination de l'ensemble des leviers économiques de l'État.

Dès mon entrée en fonction, je fus confrontée au lancinant problème qui hante tous les ministres québécois des Finances depuis maintenant plus d'une décennie : celui du grave déséquilibre fiscal qui s'est creusé entre Ottawa et les provinces. Comme je l'ai déjà souligné, le gouvernement fédéral du Canada est parvenu, dans les années 1990, à juguler ses déficits en réduisant considérablement ses transferts aux provinces. La part de dépenses de santé, d'éducation et de services sociaux financée par des fonds fédéraux atteignait 23 % en 1984-1985. En 1994-1995, elle ne représentait plus que 18,1 % et, en 2001-2002, à peine 14,1 % ! Comble d'indécence, Ottawa est même allé jusqu'à s'approprier les surplus accumulés dans la caisse de l'assurance-chômage — cyniquement rebaptisée assurance-emploi —, pourtant entièrement financée par les contributions des travailleurs et des employeurs, afin de renflouer ses finances. Il a si bien réussi qu'il accumule désormais, année après année, des milliards et des milliards de dollars de surplus qu'il utilise notamment pour envahir, comme ce fut le cas, par exemple, avec son programme de « bourses du millénaire », les champs de compétence des provinces et pour leur imposer des normes fédérales contraignantes. Pendant ce temps, les provinces peinent à répondre aux besoins très concrets et croissants de leur population, notamment en matière de santé et d'éducation.

Ce problème est aujourd'hui bien connu et certains correctifs, insuffisants et partiels, ont été apportés. Mais, à mon arrivée au ministère des Finances, ce n'était pas le cas. Le premier ministre canadien, Jean Chrétien, et son ministre des Finances, Paul Martin, refusaient même d'en reconnaître l'existence. Aussi, à l'initiative de Bernard Landry, nous avons décidé de mettre sur pied, le 22 mars 2001, une commission d'enquête sur le déséquilibre fiscal afin d'informer et de sensibiliser la population québécoise à ce sujet. Pour nous assurer de la crédibilité de la commission et pour éviter toute accusation de partisanerie politique, Bernard Landry suggéra d'en confier la direction à un libéral notoire, Yves Séguin, qui avait été ministre sous Robert Bourassa.

On connaît le retentissement et les retombées qu'eut la publication du rapport de cette commission un an plus tard. Ce rapport me permettrait, à l'occasion d'une tournée des ministres des Finances de toutes les provinces que j'effectuerais en 2002, de créer un véritable consensus pancanadien sur l'existence du déséquilibre fiscal entre le gouvernement fédéral et les provinces. Le Québec, sans l'ombre d'un doute, aura été le fer de lance de ce débat.

Je présentai avec beaucoup d'émotion mon premier budget le 29 mars 2001, jour de mon anniversaire de naissance. Je n'avais eu qu'une vingtaine de journées pour le préparer mais j'en étais satisfaite. Il faut dire qu'un important travail de préparation avait été réalisé sous le gouvernement de Lucien Bouchard et qu'il avait été notamment convenu de privilégier les régions dans ce budget. Comme ministre des Finances, j'allais par ailleurs innover en consultant pour la première fois des représentants des groupes économiques et sociaux. Cependant, ce premier budget comme les autres qui suivront, c'est moi, avec l'aide de mes proches collaborateurs, qui, après avoir pris connaissance des analyses et des recommandations des fonctionnaires du ministère et après avoir mené ces consultations, en avais déterminé les orientations et assumé la rédaction. J'avais d'ailleurs réuni mes principaux collaborateurs un weekend chez moi pour un « marathon » de relecture qui fut entrecoupé, à leur plus grand étonnement, par un bon repas que j'avais moi-même cuisiné et que je pris plaisir à leur servir. La préparation de ce budget me donna aussi l'occasion de vivre tout le « folklore » qui l'accompagne : assermentation des personnes mises dans le secret, copies codées, gardes de sécurité, photos préalables et, bien sûr, l'inévitable question des souliers neufs. Je ressentis une grande fierté ce jour-là. C'était en effet la première fois dans notre histoire qu'une femme lisait le discours du budget à l'Assemblée nationale du Québec ! J'étais consciente d'écrire une page de l'histoire des femmes au Québec.

La conjoncture économique était plutôt favorable. Pour une quatrième année consécutive, la croissance économique était au rendez-vous et avait atteint, en

2000, 4,3 %. Le taux de chômage était à son plus bas niveau en vingt-cinq ans. Les finances publiques du Québec se portaient relativement bien. Non seulement le déficit zéro — instauré de peine et de misère par le Parti Québécois en 1999 après de nombreuses années de budgets déficitaires — était-il maintenu, mais j'étais en mesure de consacrer cinq cent millions de dollars au remboursement de la dette. C'était une première pour un ministre des Finances du Québec. Au grand plaisir des contribuables, j'annonçai également, pour l'année 2001-2002, une réduction de l'impôt des particuliers de un milliard de dollars, réduction dont bénéficiaient surtout les familles de la classe moyenne et les personnes moins bien nanties.

Ce premier budget, préparé par mes soins en misant sur l'expérience que j'avais acquise dans les principaux ministères concernés, se voulait d'abord un budget pour les régions. Il comportait, par ailleurs, plusieurs mesures qui s'inspiraient directement des valeurs sociales-démocrates de notre parti : un programme de trois cent millions de dollars pour venir en aide aux plus démunis et pour lutter contre la pauvreté et l'exclusion, notamment en haussant les prestations d'aide sociale et en soutenant la réinsertion des prestataires aptes au travail ; des investissements supplémentaires — dans deux secteurs dont je connaissais bien les besoins — de deux milliards de dollars dans les services de santé et les services sociaux et de sept cent trente millions dans l'éducation et la jeunesse, entre autres pour respecter les engagements que nous avions pris lors du Sommet du Québec et de la jeunesse tenu en février 2000 ; enfin, un ensemble d'actions stratégiques pour soutenir le développement économique des régions ressources, par exemple en donnant un congé fiscal de dix ans aux PME installées dans les régions ressources éloignées et en accordant un crédit d'impôt de 40 % sur les salaires pour les nouveaux emplois liés à la transformation des ressources dans les régions.

Très bien accueilli, mon premier budget fut toutefois mis à mal moins de six mois après son adoption par un événement terrible que le gouvernement du Québec ne pouvait pas prévoir et sur lequel il n'avait aucune prise. En effet, le 11 septembre 2001, les États-Unis étaient victimes d'attentats terroristes sans précédent qui entraînaient la destruction des tours du World Trade Center de New York, brisaient la vie de milliers de nos voisins américains, créaient un climat d'incertitude partout sur la planète et avaient des conséquences graves sur l'ensemble de l'économie mondiale. Ce jour-là, je recevais le ministre de la Science de la Bavière. Nous inaugurions ensemble le bureau montréalais de la Bayerische Landesbank. Inutile de dire que la fête a été assombrie par ce terrible événement.

Quelques semaines après ce désastre, le ministre des Finances du Canada, Paul Martin, convoqua ses homologues des provinces à une réunion d'urgence à Ottawa. Je m'attendais à ce que nous examinions ensemble les moyens de faire face à la crise. À mon grand étonnement, nous eûmes plutôt droit par un beau dimanche d'octobre à un interminable exposé sur tous les groupes terroristes qui pouvaient un jour menacer le Canada et sur les mesures de sécurité que le gouvernement fédéral entendait adopter. Chacun des représentants provinciaux fit ensuite le portrait des difficultés économiques de sa province — de la baisse appréhendée du tourisme au Nunavut à la mauvaise récolte de pommes de terre à l'Île-du-Prince-Édouard ! —, tous traités, fédéralisme oblige, sur le même pied. La rencontre ne donna aucun résultat. Je sortis de là en me disant que si tous les Québécois pouvaient un jour assister à une telle réunion aussi surréaliste qu'inutile, l'indépendance serait vite faite. Mais je pris surtout conscience du fait que le Québec devrait se débrouiller seul pour se sortir de la crise économique qui s'annonçait.

Les prévisions économiques sur lesquelles reposait mon budget 2001-2002 ne tenaient plus. Le niveau de confiance des consommateurs et des investisseurs risquait de s'effondrer. Un ralentissement économique majeur était à craindre, en particulier aux États-Unis, avec tout ce que cela pouvait provoquer de turbulences pour notre propre économie si dépendante de nos voisins du Sud chez qui nous expédions la majorité de nos exportations. Il me fallait agir et vite. Aussi, en accord avec le premier ministre et mes collègues du cabinet, je présentai le 1er novembre 2001, avec cinq mois d'avance, le budget du Québec pour l'année 2002-2003.

Ce budget mettait en œuvre un véritable plan d'urgence du gouvernement pour amortir les impacts du ralentissement économique appréhendé. Mais pour ce faire, il me fallait d'abord préserver l'équilibre des finances publiques. La nouvelle conjoncture économique me forçait à réviser mes prévisions de revenus à la baisse de 1,8 milliard de dollars. Heureusement, j'avais constitué dans mon précédent budget une réserve de neuf cent cinquante millions de dollars à partir des surplus réalisés durant l'année 2000. En utilisant cette réserve pour des dépenses non récurrentes, en haussant la taxe sur le tabac, en mettant en place de nouvelles mesures pour réduire l'évasion fiscale et en assurant une gestion serrée des dépenses, je parvenais à maintenir le déficit à zéro sans hausser le niveau des impôts, évitant ainsi de nuire à la compétitivité du Québec.

Les revenus de l'État étant ainsi assurés, j'étais en mesure de réaffecter nos dépenses pour créer une marge de manœuvre me permettant de réaliser un plan d'action gouvernemental visant à soutenir l'emploi et l'activité économique. Ce plan, intitulé AGIR, pour « Actions Gouvernementales Immédiates de Relance », comportait trois volets : d'abord, une injection rapide de quatre cent millions de dollars pour soutenir la consommation des ménages en versant un supplément de cent dollars par adulte aux 2,5 millions de personnes qui recevaient un crédit d'impôt pour la TVQ et en haussant l'indexation de l'impôt des particuliers ainsi que les prestations d'aide sociale ; ensuite, un ensemble de mesures pour soutenir les PME et pour inciter le secteur privé à accélérer ses investissements, notamment par une réduction de la taxe sur le capital ; enfin, une accélération des investissements du secteur public totalisant trois milliards de dollars. Avec la collaboration de Bernard Lauzon, haut fonctionnaire, et de Richard Brunelle, chef de cabinet adjoint, j'allais réussir cette opération.

Malgré le scepticisme de plusieurs observateurs, cinq mois plus tard, dans l'énoncé complémentaire à la politique budgétaire du gouvernement que je présentai à l'Assemblée nationale le 19 mars 2002, je pouvais d'ores et déjà évaluer que nous avions posé les bons gestes au bon moment. Non seulement avions-nous évité le risque de récession économique mais la croissance était au rendez-vous. Depuis le mois de juin 2001, il s'était créé soixante-trois mille emplois au Québec, plus que dans tout le reste du Canada. L'indice de confiance des ménages avait augmenté de près de 30 % depuis le mois d'octobre. Les ventes au détail en décembre avaient augmenté à un rythme deux fois plus élevé au Québec qu'au Canada. Les exportations avaient sensiblement repris de la vigueur et les prévisions d'investissement pour l'année 2002 étaient optimistes. En somme, nous étions parvenus à passer avec succès à travers une grave tempête.

Au cours de cette même période, plus précisément en novembre 2001, je reçus une reconnaissance de mes pairs qui me fit chaud au cœur : je fus désignée « MBA de l'année » par l'Association des diplômés MBA. Bernard Landry et Jacques Parizeau me firent l'honneur de m'accompagner à la cérémonie de remise de cette distinction. Lucien Bouchard, qui ne pouvait être présent, eut la gentillesse de me faire parvenir un témoignage bien senti. Je me permets d'en citer un extrait qui me touche profondément : « Tu es un modèle de conscience professionnelle, jamais prise en défaut dans la préparation de tes dossiers, impeccablement intègre et d'une loyauté sans faille : c'est ainsi que je t'ai connue et c'est le souvenir que je garde de toi. »

Si, malgré ces grandes bourrasques, les choses allaient plutôt bien sur le plan économique, on ne pouvait pas en dire autant du plan politique.

Bien que le taux de satisfaction à l'endroit de notre gouvernement demeurât généralement assez élevé dans les sondages, il était manifeste qu'une partie de la population nous tenait rigueur de certaines politiques que nous avions adoptées.

À la fin de l'année 2001, peu avant les vacances de Noël, Bernard Landry annonça qu'il jonglait avec l'idée d'un remaniement de son cabinet des ministres afin de le rajeunir, d'apporter du sang neuf et de préparer l'iné-vitable affrontement avec les libéraux lors de la campa-gne électorale à venir. Il ne devait pas procéder à ce remaniement avant février ou mars 2002, puisque son agenda l'amenait à être à l'extérieur du Québec pour plusieurs semaines. De la Martinique où il allait passer deux semaines de vacances bien méritées, il se rendait à Vancouver pour participer à une conférence des pre-miers ministres et de là, il devait s'envoler pour Munich où se tenait un Forum sur la mondialisation. Mais l'annonce de cet éventuel remaniement provoqua une telle frénésie de commentaires, de rumeurs et de déclarations publiques de ministres inquiets de se voir écarter du cabinet, qu'un véritable climat de crise politique se développa, forçant Bernard Landry à rentrer à Québec pour calmer le jeu. Il me demanda de le remplacer à Munich, d'où je repartis ensuite pour me rendre directement à New York représenter le Québec au Forum économique mondial de Davos qui s'y tenait exceptionnellement cette année-là.

Aussi n'étais-je pas au Québec quand, le 31 janvier 2002, il procéda à un remaniement ministériel assez mal accueilli. Ce jour-là, Bernard Landry dévoila les noms des nouveaux membres de son cabinet qui – bien qu'il écartât trois ministres, Jacques Brassard, Guy Chevrette et David Cliche, qui ne manquèrent pas de faire bruyamment connaître leur mécontentement en démissionnant de leurs postes de députés – comptait un nombre élevé de ministres, ministres délégués et secrétaires d'État. De plus, il faisait entrer au cabinet en qualité de ministre délégué à la Santé, une personnalité non élue, David Levine, qui était certes reconnu pour ses compétences mais qui n'avait aucune expérience politique. Il devait d'ailleurs quitter ses fonctions quelques mois plus tard lorsqu'il serait battu dans une élection partielle.

Pour ma part, tout en conservant les responsabilités que j'occupais déjà, j'héritais en plus du ministère de l'Industrie et du Commerce, ce qui me permettrait de mettre en œuvre des politiques économiques plus cohérentes. J'étais assistée par Lucie Papineau, ministre déléguée à l'Industrie et au Commerce, et par Solange Charest, nommée secrétaire d'État à la Recherche, la Science et la Technologie. Cependant, la Société générale de financement relevait directement du premier ministre, et d'ailleurs, lorsque le Conseil des ministres discutait de dossiers touchant la SGF, je quittais la réunion. On comprendra donc que jamais je n'ai pris part aux discussions et décisions concernant mon mari qui dirigeait alors la SGF.

Ce remaniement ministériel se déroula sur la toile de fond d'une autre crise qui allait dominer l'actualité politique pendant de nombreuses semaines : l'affaire des lobbyistes. Le 17 janvier 2002, un journaliste de *La Presse* publia un article qui mettait en cause deux proches collaborateurs du premier ministre et de Gilles Baril, alors ministre de l'Industrie et du Commerce : André Desroches, ami de longue date de Gilles Baril, et Raymond Bréard, ancien directeur de cabinet de Bernard Landry, devenu directeur général du Parti Québécois. Selon *La Presse*, les deux hommes, lorsqu'ils étaient copropriétaires d'une entreprise de gestion, avaient fait du lobbying auprès du ministre Gilles Baril. Quelques semaines plus tard, en février, le jour où se tenait le Conseil national du Parti Québécois, une journaliste du *Devoir* rapportait d'autres faits concernant les activités de lobbying de Raymon Bréard. En politique, la perception est aussi importante que les faits eux-mêmes. Or cette histoire laissait croire, à tort ou à raison, à un conflit d'intérêts. C'est donc à la fois pour protéger la réputation du parti et du premier ministre que je demandai le départ de Raymond Bréard le temps d'éclaircir les faits. Quelques jours plus tard, celui-ci quittait la direction du Parti Québécois.

Le 12 février 2002, Gilles Baril lui-même, ravagé par la pression politique et médiatique, annonçait sa démission comme ministre en direct à la télévision. Il faisait savoir de surcroît qu'il ne se représenterait pas comme candidat à la prochaine élection. Ce départ attrista Bernard Landry qui avait parrainé sa carrière politique, qui le considérait un peu comme son propre fils et qui l'admirait parce qu'il avait su se sortir, dix ans auparavant, de problèmes de dépendance à la drogue et à l'alcool et qu'il avait ensuite fondé et dirigé une maison spécialisée dans le soutien aux jeunes. Je trouvais vraiment dommage que Gilles Baril, avec le talent, la générosité et le potentiel qu'il avait, quitte de cette façon.

Malgré le dépôt et l'adoption d'un projet de loi encadrant pour la première fois et de façon sévère le lobbying, les séquelles de cette crise — dont les libéraux firent évidemment leurs choux gras et qui mina la crédibilité du gouvernement — se firent sentir pendant plusieurs mois dans un contexte où, par ailleurs, les relations entre le cabinet du premier ministre, dirigé par son ami Claude H. Roy, et ceux de plusieurs ministres étaient plutôt tendues.

En novembre 2001, j'avais dû accepter à mon grand regret le départ de ma directrice de cabinet, Nicole Stafford, nommée déléguée du Québec à Bruxelles. Je la remplaçai par une avocate de formation, Esther

Gaudreault, qui avait occupé des fonctions similaires dans d'autres cabinets et que j'avais connue lorsqu'elle était aux affaires intergouvernementales canadiennes. Elle m'avait donné un sérieux coup de main quand j'avais eu à négocier avec Ottawa les modifications constitutionnelles permettant la déconfessionnalisation des commissions scolaires au Québec. Elle demeura avec moi jusqu'à la fin de mon mandat, manifestant la même intégrité et la même indépendance d'esprit que sa prédécesseure.

Malgré tous les efforts que je déployais pour me maintenir à l'écart de ces petites luttes internes aussi inutiles qu'épuisantes, je sentais bien, depuis l'affaire des lobbyistes, que je n'étais guère en odeur de sainteté au bureau du premier ministre. Chaque fois que, dans le cadre de mes fonctions, les feux de l'actualité se braquaient sur moi, il s'en trouvait pour me reprocher ma supposée ambition et pour me soupçonner de « comploter » dans le but d'affaiblir le leadership de Bernard Landry. C'est tout de même étrange, ce reproche qu'on n'adresse jamais qu'aux femmes. Comme le disait Françoise Giroud, l'une des premières femmes à devenir ministre en France dans les années 1970 : « Une femme en politique n'a pas le droit d'être ambitieuse. Chez elle cela s'avère être le pire des défauts. Chez l'homme politique, comme de bien entendu, l'ambition est la première des qualités ! »

À la fin de l'année 2002, mes relations avec le cabinet du premier ministre s'étaient sensiblement améliorées. Heureusement d'ailleurs, car nous nous préparions à aller en campagne électorale et, en décembre, Bernard Landry me demanda de prendre la direction politique de cette campagne et de devenir l'organisatrice en chef du parti. J'hésitai dans un premier temps à assumer cette tâche qui venait s'ajouter à mes responsabilités ministérielles déjà très lourdes. Par ailleurs, j'en étais bien consciente, les risques de défaite étaient élevés. Mais j'acceptai de relever ce défi. Mettant à contribution les bonnes relations que j'avais avec mes collègues ministres et députés, de même que ma connaissance du parti et de la société québécoise, je me mis résolument au travail.

De janvier à mars 2003, avec notamment le soutien de Pierre D'Amour, nommé directeur de la campagne, et de François Charbonneau qui agissait comme conseiller spécial, je présidai le comité de préparation de la campagne, les yeux rivés, bien sûr, sur les enquêtes d'opinion. Celles-ci ne nous étaient pas défavorables : elles montraient un taux de satisfaction relativement élevé à l'endroit du gouvernement et confirmaient l'impopularité personnelle de Jean Charest. Mais on sentait tout de même une certaine lassitude de la population à notre égard. Le fameux facteur du « troisième mandat de suite » semblait peser lourdement. Les sondages annonçaient une remontée de l'ADQ de Mario Dumont mais indiquaient que cette remontée s'effectuait surtout au détriment du Parti libéral.

Nous avions un bon bilan gouvernemental à défendre, particulièrement en matière économique, un bon plan de match, une bonne équipe de candidats. Même si nous disposions de peu de comtés libres, j'étais parvenue à trouver quelques nouveaux candidats de qualité, par exemple Camil Bouchard, chercheur et psychologue, auteur du fameux rapport « Un Québec fou de ses enfants ». J'étais également fière d'avoir recruté pour cette élection le plus grand nombre de candidates dans toute l'histoire de notre parti, soit quarante-trois. Si la victoire n'était pas acquise, elle était possible.

Le 11 mars 2003, je présentai, comme ministre des Finances, notre budget préélectoral. Comme tous les budgets de ce type, celui-ci — centré sur le maintien de l'équilibre budgétaire, la poursuite d'une plus grande prospérité économique en particulier dans les régions, de même que la mise en œuvre de certaines initiatives notamment pour favoriser la conciliation famille-travail, pour améliorer les services publics, pour intensifier la lutte contre la pauvreté, pour accroître la qualité de l'environnement et pour appuyer la vitalité de notre culture — était bien sûr un exercice financier rigoureux qui nous permettait d'énoncer les priorités d'action qui seraient les nôtres au lendemain d'une réélection. Les libéraux, bien entendu, décrièrent ce budget et prétendirent que mes prévisions de revenus étaient exagérées. Il est vrai que ces prévisions étaient optimistes mais elles étaient réalisables si les mesures que je préconisais étaient mises en œuvre.

Immédiatement après le dépôt du budget, le premier ministre déclencha la campagne électorale avec comme date butoir le 14 avril 2003. Il s'agissait de la septième élection à laquelle je participais comme candidate. Suivant leur habitude, les médias concentrèrent leur attention sur les chefs de parti. Peu visible de ce fait sur la scène publique, je consacrai mes énergies à coordonner et à soutenir le travail de nos candidats dans les comtés, et à m'assurer, en particulier, que nos messages soient correctement véhiculés.

La campagne électorale se déroula donc avec ses bons et ses mauvais jours pour notre parti jusqu'au débat des chefs. Et même si Bernard Landry apparut à cette occasion prisonnier de ses notes et moins bon orateur que d'habitude et en dépit du fait qu'il se trouva désarçonné par une question de Jean Charest sur une déclaration de Jacques Parizeau qu'il ignorait manifestement, ce débat n'eut pas un impact significatif sur l'électorat.

En revanche, deux tendances lourdes se dessinèrent peu à peu et finirent — nous le sentîmes clairement dans les deux dernières semaines de la campagne — par jouer un rôle déterminant au moment du vote. La première fut le retour au bercail d'une fraction importante de l'électorat libéral qui, après avoir été tentée par l'ADQ, s'en éloigna à mesure que Mario Dumont rendait publics ses engagements de plus en plus radicalement à droite. Dans plusieurs comtés, les luttes à trois qui s'annonçaient redevinrent, à notre désavantage, des luttes à deux. La deuxième tendance fut notre incapacité, pour diverses raisons, à mobiliser une partie notable de nos appuis traditionnels qui préférèrent en définitive rester à la maison.

Le jour de l'élection, le verdict tomba, impitoyable : les Québécois nous avaient assez vus ! Le Parti libéral prenait le pouvoir avec à peine 2 % de voix de plus que ce qu'il avait obtenu à l'élection de 1998 mais en faisant élire soixante-seize députés. L'ADQ récoltait 18 % des suffrages et quatre députés. Pour notre part, nous réalisions notre pire score depuis 1989 : 33 % des votes, soit dix points de pourcentage et cinq cent mille voix de moins qu'à l'élection précédente. Toutefois, avec quarante-cinq députés, nous sauvions les meubles quant au nombre de candidats élus. J'étais moi-même réélue dans Taillon mais avec une majorité sensiblement réduite.

Signe de mauvaise santé de notre vie démocratique, le taux de participation à l'élection avait encore baissé, atteignant à peine les 70 %.

Au lendemain de ces élections, on le comprendra facilement, j'étais profondément déçue. Après tout, nous venions d'être battus par un homme, Jean Charest, que les Québécois, sondage après sondage, disaient ne trouver ni compétent ni sympathique. Bernard Landry déclara qu'il réfléchissait à son avenir politique. Il avait d'ailleurs toujours laissé entendre qu'il ne s'accrocherait pas à son poste si le PQ était défait aux élections. Je me préparai donc à une éventuelle course à sa succession et, cette fois-là, j'entendais bien être prête. Des députés, des militants et des universitaires, dont certains s'étaient rassemblés dans un groupe nommé Réflexion Québec, me soutenaient par leurs recherches et leurs analyses. Mais en juin, Bernard Landry annonça qu'il ne quitterait pas pour l'instant la direction du Parti Québécois et qu'il allait, par conséquent, siéger comme chef de l'opposition à la rentrée parlementaire de l'automne. Il commençait ainsi une réflexion qui allait se poursuivre pendant deux ans, affirmant, selon les circonstances, qu'il avait le désir et la volonté de continuer, qu'il ne voulait pas s'accrocher et qu'il songeait à se retirer, qu'il envisageait de se soumettre à un vote de confiance des membres, qu'il songeait même à déclencher une course à la chefferie où il serait éventuellement lui-même candidat. Il ouvrait puis refermait successivement la porte à chacun de ces scénarios

Je souhaitais, pour ma part, qu'il y ait, au lendemain de cette défaite électorale et presque vingt ans après qu'un tel exercice démocratique se fut déroulé dans notre parti — Jacques Parizeau, Lucien Bouchard et Bernard Landry ayant tous trois été élus chefs sans opposition —, une véritable course à la chefferie. Je voyais là une étape indispensable à franchir non seulement pour faire un réel « post mortem » de notre défaite électorale, mais aussi pour dresser le bilan de notre action politique des dernières années et brasser des idées nouvelles qui permettraient à notre formation politique de se renouveler et de rebondir.

Dès l'été 2003, Bernard Landry lança par ailleurs une vaste opération de réflexion au sein du parti. Appelé « la saison des idées », ce grand remue-méninges devait servir à remobiliser les membres et mener à une révision en profondeur de notre programme politique en vue du congrès prévu pour 2005. Comme la plupart de mes collègues députés, je décidai de m'investir dans cette démarche avec l'espoir qu'elle nous conduirait à reprendre le dessus sur la morosité qui semblait s'être emparée de notre parti. Je publiai plusieurs textes pour alimenter notre réflexion.

Rapidement, la question de la stratégie qui nous permettrait de mener le Québec à son indépendance politique monopolisa les débats. Manifestement, il s'était développé une crise de confiance à ce sujet entre les dirigeants du parti et une fraction significative des militants qui jugeaient négativement l'action menée par le gouvernement de Lucien Bouchard dans les années qui avaient suivi le référendum de 1995. Un puissant vent de radicalisme soufflait sur le parti. On voulait en finir avec toute référence aux « conditions gagnantes », perçues comme une échappatoire. Dans la foulée, on rejetait même le concept de partenariat, auquel pourtant tous les sondages nous disaient que les Québécois étaient attachés. On exigeait des garanties formelles, inscrites en toutes lettres dans le programme, qu'un prochain gouvernement péquiste tiendrait rapidement, coûte que coûte, un référendum sur la souveraineté. En somme, on s'enfermait, plus ou moins consciemment, dans une stratégie figée et prédéfinie qu'on livrait, par ailleurs, sur un plateau d'argent à nos adversaires.

Les libéraux de Jean Charest dirigeaient donc le Québec. Nommée porte-parole de l'opposition en matière d'éducation, je pouvais compter sur deux excellents recherchistes, Sylvie Lemieux et Dominic Provost. J'étais aux premières loges pour assister au spectacle. Et quel spectacle !

Très vite, les Québécois semblèrent regretter d'avoir mis le Parti Québécois à la porte et confié le pouvoir à Jean Charest. Le slogan électoral des libéraux «Nous sommes prêts!» faisait la joie des caricaturistes et devenait la risée populaire. En deux ans, par une série de décisions inconsidérées comme celle d'autoriser la construction de la centrale polluante du Suroît, qu'ils furent bientôt obligés d'abandonner sous la pression populaire, ils trouvèrent le moyen de soulever la colère d'à peu près tous les groupes dans la société québécoise. Qui plus est, non seulement ne tenaient-ils pas leur principal engagement électoral — une réduction des impôts de un milliard de dollars par année pendant cinq ans! —, mais, au contraire, ils augmentaient de façon notable tous les tarifs des services publics, faisant notamment passer de cinq à sept dollars par jour la facture des parents dans les centres de la petite enfance. Bien que de façon plutôt malhabile, ils mettaient tout de même peu à peu en œuvre des éléments majeurs de leurs politiques néolibérales, pratiquant en particulier un laisser-faire désastreux en matière de développement économique. Que dire, par ailleurs, de la promesse de régler en vingt-quatre heures les problèmes des urgences et des listes d'attente dans les hôpitaux dont nous attendons toujours la réalisation ? Que dire aussi de la nomination au ministère de l'Éducation de Pierre Reid qui, avant de retourner sur le banc, amorça le dérapage de la réforme de l'éducation ?

À Ottawa, pendant ce temps, la situation politique évoluait grandement. Après des années d'affrontements parfois très durs entre leurs clans politiques respectifs, Paul Martin était parvenu à obtenir le départ de Jean Chrétien de la direction du Parti libéral du Canada. Devenu chef de ce parti et premier ministre désigné du gouvernement fédéral en novembre 2003, il convoqua des élections pour le 12 décembre de la même année. Or, grâce en particulier au travail de recherche et à l'obstination du Bloc Québécois, des révélations de plus en plus troublantes se succédaient depuis des mois sur le programme des commandites que le gouvernement fédéral avait mis en place au lendemain du référendum de 1995 pour promouvoir l'unité canadienne. Cette question domina la campagne électorale au Québec et contribua pour beaucoup à la sévère défaite qu'y connurent les libéraux fédéraux, en dépit de l'engagement pris en pleine campagne par Paul Martin de mettre en place une commission d'enquête publique sur les commandites. Avec cinquante-quatre députés élus, le Bloc sortit grand gagnant québécois de cette élection.

À la tête d'un gouvernement minoritaire, Paul Martin se vit contraint de rendre public, le 10 février 2004, le rapport de la vérificatrice générale du Canada, Sheila Fraser, qui dévoilait l'ampleur du scandale des commandites, et de créer la Commission Gomery dont les travaux tiendraient en haleine les opinions publiques québécoise et canadienne pendant près de deux ans. Au fil des audiences de la commission et des témoignages entendus, on découvrit que le scandale dépassait tout ce qu'on avait pu imaginer. Sous prétexte de « tuer le séparatisme au Québec », comme le déclara Charles Guité, haut fonctionnaire responsable du programme des commandites, le gouvernement fédéral avait, de 1997 à 2003, dépensé pas moins de deux cent cinquante millions de dollars pour commanditer environ deux mille événements sportifs et culturels, surtout au Québec. Quelque cent millions de dollars, soit 40 % de cette somme, avaient été versés en frais douteux de production et en commissions à des agences de communication proches des libéraux, qui en reversaient secrètement une partie à leur caisse électorale. Toute cette opération — « un cas flagrant de détournement de fonds publics », selon Sheila Fraser — avait été menée dans l'irrespect le plus total des règles élémentaires de la démocratie, de la bonne gouvernance et de la transparence !

Alors que, de rebondissements en rebondissements, la saga du scandale des commandites se poursuivait au Canada, et pendant que Jean Charest et son gouvernement multipliaient les initiatives impopulaires au Québec, nous étions toujours occupés au Parti Québécois à débattre à n'en plus finir de notre stratégie concernant notre objectif fondamental.

Participant activement à cette vaste discussion et, de ce fait, rencontrant au fil d'innombrables réunions les militants du parti, j'acquis à nouveau la conviction qu'une course à la chefferie était souhaitée par le plus grand nombre. Je n'étais pas la seule à faire ce constat. De son propre chef et sans me consulter, la députée de Pointe-aux-Trembles, Nicole Léger, exprimait publiquement cette même opinion. Cette femme, qui deviendrait mon indéfectible alliée, avait même pris l'initiative de contacter nos collègues députés qui, pour plusieurs, se disaient disposés à m'appuyer si Bernard Landry se retirait.

J'eus le malheur, au mois d'août 2004, de réclamer une fois de plus le déclenchement d'une telle course. Comme je le découvris au Conseil national de septembre qui rejeta massivement ma proposition, c'était une erreur. Car si certains militants et députés partageaient en privé cette aspiration, peu d'entre eux étaient disposés à appuyer ouvertement ma demande.

En février 2005, Bernard Landry annonça qu'il avait pris la décision de rester en poste et qu'il soumettrait son leadership à un vote de confiance lors du 15ᵉ Congrès du Parti Québécois convoqué pour le 4 juin 2005. Lorsque j'appris cette nouvelle, je fis savoir à mes appuis dans le parti que, si je croyais toujours souhaitable une course à la chefferie, il n'était pas pour autant question pour moi de déclencher une crise politique interne en militant pour un vote de non-confiance au chef à l'occasion d'un congrès appelé à adopter un nouveau programme dont il avait piloté la préparation. Quelques semaines avant le congrès, j'informai les médias que je me ralliais à sa décision de demeurer à la tête de notre parti.

Aussi, lorsque le 4 juin, peu après l'annonce des résultats du vote de confiance — 76,2 % d'appuis —, Bernard Landry se présenta à la tribune du congrès, je me levai comme la très grande majorité des mille six cents délégués pour l'applaudir. Et comme la plupart des délégués, je fus absolument stupéfaite de l'entendre annoncer qu'il démissionnait parce qu'il jugeait ce niveau d'appuis insuffisant. Je n'ai jamais compris les motifs de sa décision. Car, s'il était loin des 92 % d'appuis obtenus par Jacques Parizeau en 1992, il récoltait à peu près le même score que Lucien Bouchard — 76,7 % — en 1996. Personne ne lui aurait fait grief de ce résultat honorable.

Dès le lendemain de la démission de Bernard Landry, les journalistes se précipitèrent sur moi pour obtenir mes commentaires. Je livrai un vibrant et très sincère hommage à cet homme et soulignai sa contribution remarquable à notre parti et au Québec. Puis, en réponse à une question et me refusant à toute hypocrisie, je confirmai mon intention d'être candidate à sa succession. Je ne voulais pas laisser planer de doutes quant à ma volonté à ce sujet. On m'avait suffisamment reproché mes hésitations au moment du départ de Lucien Bouchard.

Une course à la chefferie était donc finalement déclenchée. J'avais l'expérience d'une telle course. Je savais très bien dans quoi je m'engageais et j'étais déterminée à la gagner. Les éléments d'analyse dont je disposais me permettaient d'espérer sérieusement y parvenir. Je mis donc rapidement sur pied mon comité électoral. Dirigé par Nicole Stafford, tout juste revenue de Bruxelles, il rassemblait une équipe très expérimentée composée notamment de Sylvie Brousseau, Daniel Bussières, Martin Caillé, Liette Cousineau, Pierre D'Amour, Stéphane Éthier, Richard Fredette, Michel Goyer, Josée Jutras, Denis LaManna, Pierre Langlois, Michel Lapierre, Nicole Léger, Marie-Claude Martel, Pierre Noreau, Claude Potvin, Danielle Rioux, Louise Sanscartier, Sylvie Tremblay, Fleurette Vermette et plusieurs autres personnes avec qui j'avais mené mon action politique au fil des ans et qui m'avaient toujours manifesté une grande loyauté. Je profitais aussi des précieux conseils de Yves Martin. Bien entendu, mon mari s'engagea à mes côtés, me soutenant sans réserve. Nous nous sommes mis résolument au travail, avec beaucoup d'enthousiasme et d'espoir.

Cependant, dès le départ, cette course se révéla difficile, compliquée et frustrante : d'abord quant à l'incroyable profusion de candidatures. Au cours de l'été 2005, pas moins de vingt-cinq candidats furent pressentis. Parmi eux, il y avait d'abord le chef du Bloc Québécois, Gilles Duceppe, qui, sollicité par des militants du PQ et encouragé à faire le saut par une partie de la presse, finit par décliner l'invitation pour rester fidèle à son engagement de diriger le Bloc à la prochaine élection fédérale. Il y avait aussi François Legault qui s'y préparait mais qui, à la surprise de ses partisans, décida de ne pas plonger en invoquant des raisons familiales. Il eut la courtoisie de m'informer à l'avance de sa décision. Enfin, il y avait André Boisclair, longtemps député et ministre, qui avait démissionné en 2004 pour aller poursuivre des études à l'Université Harvard de Boston. Bénéficiant du soutien d'une bonne partie de l'ancienne équipe de Bernard Landry, il annonça sa candidature. Pourtant, ne m'avait-il pas confié, une semaine avant le congrès, qu'il me trouvait bien courageuse de vouloir diriger ce parti, ce que lui-même envisagerait difficilement de faire ? N'avait-il pas répété ces propos quelques jours plus tard à l'émission de Christiane Charette ?

Finalement, en plus d'André Boisclair et de moi-même, huit autres candidats, profitant des règles très ouvertes établies par l'exécutif du parti, se retrouvèrent au fil de départ: Richard Legendre, Louis Bernard — j'étais vraiment étonnée que ce grand commis de l'État, que je respecte et que j'admire, décide de se présenter —, Jean-Claude Saint-André, Ghislain Lebel, Gilbert Paquette, Pierre Dubuc, Jean Ouimet et Hughes Cormier. En réalité, six d'entre eux ne recueilleraient ensemble, en bout de course, que moins de 3 % des suffrages. J'étais, comme on peut le constater, la seule femme en lice.

Le nombre élevé de candidats conduisit l'exécutif du parti — qui avait symboliquement fixé la fin de la course au 15 novembre 2005 pour souligner le vingt-neuvième anniversaire de notre première victoire électorale — à adopter une procédure de campagne très démocratique mais très lourde: un tirage au sort déterminerait quels candidats débattraient ensemble lors de chacune des huit grandes assemblées thématiques qui se tiendraient en région. Cette procédure, outre qu'elle accordait une large place aux candidats marginaux au détriment d'une confrontation d'idées entre les véritables aspirants à la direction, ne me permettait guère d'aborder les questions de fond. Comment présenter, dans le cadre d'interventions limitées à quatre minutes, des orientations que j'avais longuement et soigneusement préparées avec des groupes de réflexion composés de chercheurs, de praticiens et de militants? Le débat demeurait donc trop souvent superficiel.

Par ailleurs, le mode de scrutin retenu pour le vote au suffrage universel des membres — un seul tour où l'électeur devait exprimer, par ordre de préférence, trois choix — n'était lui-même pas simple.

Prisonnière d'un carcan difficile, la course à la chefferie suivit pendant longtemps un train-train plutôt ennuyeux. Les médias se mirent donc à chercher en dehors de nos débats des anecdotes pour alimenter leurs bulletins de nouvelles. Ce fut d'abord l'orientation sexuelle d'André Boisclair qui fit les manchettes. Puis les médias ressortirent une vieille histoire dont un quotidien avait, paraît-il, fait état quatre ans auparavant. André Boisclair, alors ministre, aurait été convoqué par Lucien Bouchard pour s'expliquer au sujet d'une rumeur qui circulait alors : il aurait à l'occasion consommé de la cocaïne. Je n'étais pas au courant de cette rumeur. Dès la parution de cette nouvelle, j'avais immédiatement interdit à mon équipe d'embarquer dans cette galère. Jamais, dans toute ma carrière politique, je ne me suis attaquée à la vie privée d'un adversaire. Je n'allais certainement pas commencer avec un collègue de mon propre parti. Nous n'en aurions pas moins pour des semaines à n'entendre parler que de cette « erreur de jeunesse » d'André Boisclair. Cette histoire prit des proportions gigantesques et finit par dominer la course à la chefferie. Elle provoqua, chez une partie de la population et des membres du Parti Québécois, un fort courant de sympathie envers André Boisclair, perçu comme une victime de l'acharnement des médias. Le jour où un sondage confirma cette réaction de la population, je me suis dit que la bataille était perdue pour moi...

Plus frustrant encore, cette course à la chefferie qui — tous les sondages en témoignaient — se jouait entre ma candidature et celle d'André Boisclair, se transforma progressivement en un irrationnel combat d'image. Les médias ne cessaient de parler de mes foulards, mes bijoux, la couleur de mes tailleurs, ma coiffure, mon poids, créant la fausse image d'une grande bourgeoise loin du monde. Je décidai alors de suivre les conseils de Lise Payette en adoptant un uniforme — tailleur et pantalon neutres —, espérant en vain qu'on s'intéresse davantage à mes idées. Les analyses, les idées, les projets de l'un ou de l'autre ne comptaient pratiquement plus. La population avait beau exprimer dans les sondages qu'elle me jugeait mieux à même d'affronter Jean Charest et d'occuper la fonction de premier ministre. Les organisations féministes avaient beau soutenir ma candidature et défendre l'idée qu'il était temps qu'une femme occupe un tel poste. J'avais beau — avec le soutien à distance de ma loyale et exceptionnelle adjointe, Sylvie Alain, dans une minifourgonnette empruntée à mon frère, ornée de mon slogan «Pour réussir notre indépendance» et conduite par le fidèle et généreux Jean-Marc Huot — parcourir des milliers de kilomètres et tenir des centaines d'assemblées et de rencontres. J'avais beau mettre en avant des propositions audacieuses comme celle de créer une société d'État, Éole Québec, pour assurer le développement de l'énergie éolienne au Québec, rien n'y faisait. Tout tombait à plat.

Ou alors tout se retournait contre moi, comme en cette occasion où je déclarai qu'une victoire des souverainistes à un référendum entraînerait des soubresauts. Les gardiens du temple de l'orthodoxie me tombèrent unanimement dessus comme si j'avais commis un crime de lèse-majesté ! Pourtant, n'est-ce pas une évidence qu'un tel changement provoquerait des turbulences ? Ne vaut-il pas mieux, comme Jacques Parizeau l'a fait en 1995 sur le plan financier, les prévoir et les minimiser plutôt que de se voiler la face ?

À la fin de la campagne, une seule question prévalait : qui incarnait le changement ? Dans un contexte où, depuis des années, les médias répétaient à satiété que le Parti Québécois était le parti d'une génération et qu'il risquait de disparaître avec celle-ci, face à André Boisclair qui, misant sur sa jeunesse, jouait cette carte et se présentait comme celui qui passerait le flambeau du projet souverainiste à la jeune génération, il me devint bientôt évident que, malgré mes efforts, j'allais perdre ce combat d'image. Tout d'ailleurs me le confirmait : le ralliement de la majorité des députés à sa candidature, la bataille du recrutement de nouveaux membres que son équipe remportait manifestement, les sondages qui, progressivement, le donnaient favori. Longtemps avant le vote, je savais que je ne gagnerais pas cette course. Mais je fis comme si de rien n'était. Je n'abandonnai pas le combat. Je tentai même, sans trop y croire, de rallier à moi les autres candidats.

Le 12 novembre, nous organisâmes un dernier grand rassemblement de mes partisans à Montréal. Dans un

Spectrum rempli de militants enthousiastes, j'étais heureuse d'avoir réussi à rassembler autour de moi des personnalités aux opinions aussi diverses que Maka Kotto, Joseph Facal, Réal Ménard, Nicole Léger, Jean-Pierre Charbonneau, Pierre Dubuc, Christiane Gagnon, Denise Beaudoin et Jonathan Valois, pour n'en nommer que quelques-uns. Nous ne le savions pas alors, mais c'était en quelque sorte une promesse d'avenir.

Le 15 novembre au soir, à Québec où nous étions rassemblés pour entendre les résultats, je n'en fus pas moins attristée par l'ampleur de ma défaite : à peine 30 % des voix contre 54 % pour André Boisclair. Mon rêve évanoui, je parcourus la salle, souriant à gauche, embrassant à droite, serrant les mains de mes partisans et les réconfortant, trouvant dans la présence de mes enfants, de ma mère, de mes amis et dans le regard amoureux de mon mari le courage de me tenir debout.

J'avais donné le meilleur de moi-même dans cette course dont les circonstances n'avaient cessé de m'être défavorables. Les membres avaient fait leur choix. La démocratie avait parlé. Je me ralliai sans arrière-pensée. Mais j'avais en tête cette phrase que mon mari venait de me glisser à l'oreille : « Ils t'ont donné ta liberté ! »

CHAPITRE 6

Une citoyenne libre

« J E ME SENTIRAIS DÉLOYALE, déloyale de continuer maintenant dans ce qui ressemble, non à un
passage à vide, mais bien à un tournant de ma
vie. Le cœur n'y est plus, si j'ose dire. [...] La politique
ne me quittera pas, évidemment. Elle a été ma vie
même depuis plus de vingt-cinq ans ; toutes ces heures,
toutes ces années passées ici, dans ce salon bleu de
l'Assemblée nationale, tout mon engagement au Parti
Québécois [...]. Je resterai militante active et — cela
n'étonnera personne — féministe [...]. Merci à Claude
— il est dans les estrades avec les enfants — mon mari,
mon compagnon, mon ami. Fidèle, patient, tu as su
partager ce qui m'a animée toutes ces années. Tu m'as
toujours soutenue, toujours encouragée, et ce n'était pas
toujours facile, je le sais. Tu as assuré le relais avec nos
petits. Ils sont devenus grands maintenant, comme ils
me disent parfois. Catherine, Félix, François-Christophe,

Jean-Sébastien, à vous quatre merci de votre compréhension d'enfants. Vous êtes ma maison, vous êtes mon présent, mon avenir, vous êtes mes amours [...]. Je serai toujours fidèle, avec les milliers de membres du parti et les centaines de milliers de Québécoises et de Québécois, à notre volonté de réaliser l'indépendance du Québec [...]. Moi, je suis entrée en politique parce que j'avais un rêve : je voulais changer le monde. Et je crois l'avoir changé un peu. C'est comme cela et pour cela que je me suis engagée. La politique s'apprend. Elle est un moyen de changer les choses. Elle est d'abord un engagement. Il me reste à souhaiter que bientôt une femme puisse occuper, au Québec, la fonction de chef d'État. Il me semble qu'il serait temps. »

C'est avec ces mots empreints d'une intense émotion que j'ai annoncé à l'Assemblée nationale du Québec, le 20 mars 2006, ma décision de démissionner comme députée de Taillon et de me retirer de la vie politique. Dans ce discours d'adieu, je rendais également hommage à René Lévesque, Jacques Parizeau, Lucien Bouchard et Bernard Landry. Je souhaitais avec sincérité le meilleur succès à André Boisclair. Je saluais certaines femmes qui avaient été mes compagnes de lutte, Lise Payette, Jocelyne Caron et Nicole Léger, bien sûr, mais aussi Louise Harel : « Mon amie, en avons-nous discuté des projets, des dossiers pour le parti, pour nos responsabilités ministérielles. Louise, nous l'avons tenue ensemble, tenue aussi haut que possible, la cause des femmes, la fierté de les représenter. »

Je n'avais pas voulu démissionner au lendemain de ma défaite dans la course à la chefferie du Parti Québécois. Je ne voulais nuire ni à mon parti ni à son nouveau chef, lui laissant au contraire toutes les chances de se faire valoir dans son rôle. Imitant en cela Jean Charest lorsqu'il était devenu chef des libéraux, André Boisclair avait décidé de ne pas entrer à l'Assemblée nationale tout de suite et c'est Louise Harel qui assuma pendant plusieurs mois la fonction de chef de l'opposition. À la rentrée parlementaire de l'hiver 2006, j'avais demandé et obtenu d'André Boisclair qu'il me confie la responsabilité de critique de l'opposition en matière de relations internationales. Je ne voulais pas d'un dossier « lourd », comme la santé ou l'éducation. Il me paraissait préférable que je me tienne plus en retrait.

Ma décision de quitter la vie politique a mûri lentement. J'en ai d'abord discuté avec mon mari au cours des vacances que nous avons prises, toujours en famille, pendant la période des fêtes. J'ai demandé conseil à mes amis et à mes proches collaborateurs qui, pour la plupart, m'ont confortée dans mon choix. En février, mon idée était faite : je partirais sans faire de vagues et en beauté. Rien ne m'incitait à rester.

Il n'y avait aucune animosité, aucune amertume, dans mes adieux à la vie politique. Je déteste les règlements de comptes sur la place publique. Ils ne sont pas dignes de gens intelligents. Durant toutes mes années de vie publique, mais aussi dans ma vie privée, j'ai toujours été attentive à ne pas blesser les gens. La finalité de mes objectifs est infiniment plus pressante que de donner, ici ou là, un coup de Jarnac. La vie, en général, sait très bien se charger de ces choses. En dépit de la réelle tristesse que je ressentais à quitter mon poste de députée de Taillon — ce comté que j'ai représenté à l'Assemblée nationale pendant dix-sept années avec l'appui des citoyens et le soutien de militantes et de militants extraordinaires dont j'ai déjà mentionné plusieurs noms auxquels s'ajoutent les Nicole Asselin, Pierre Beaudoin, Pauline et Jacques Boisvert, François Charbonneau, Sophie Ciesla, Bibiane Fortin, Claudette Giguère, Manon Hénault, Serge Mainville, Marthe Payette et Louis, Louise Prévost et Marc, Fernande Leblanc et son fils Luc et Pierre Toussaint — je partais plus légère que l'air, décidée à chérir ma liberté retrouvée.

J'ai toujours aimé voyager. Que ce soit à l'étranger ou plus simplement dans Charlevoix, qui a depuis longtemps été notre destination préférée au Québec, partir en vacances pour quelques jours ou quelques semaines — en amoureux avec mon mari, ou en famille avec nos enfants — a toujours représenté pour moi une précieuse occasion de ressourcement loin des aléas de la vie politique, une compensation aussi pour les réels sacrifices que cette vie nous oblige à faire. Aussi, j'ai consacré pas mal de temps à voyager au cours de ma première année de « liberté ».

Peu après mon départ de l'Assemblée nationale, je suis partie, dans le temps de Pâques, faire un voyage en

Italie avec mon mari, mon frère Marc — le plus jeune de mes frères qui a douze ans de moins que moi — et ma belle-sœur Denise. Quel voyage extraordinaire nous avons fait! Quel plaisir de nous retrouver tous les quatre, de déambuler dans cette ville lumineuse, remplie d'histoire et de beautés, qu'est Rome, de boire un café au lait sur une place ensoleillée, de visiter la chapelle Sixtine, de découvrir les fabuleuses richesses des musées du Vatican, d'explorer, au cours d'une excursion de quelques jours, ce magnifique joyau à ciel ouvert qu'est Florence! Quelle meilleure façon de m'aider à tourner plus rapidement la page!

En juin, je suis allée passer quelques jours à Paris avec mon mari qui devait s'y rendre pour affaires. Puis, après deux missions — l'une au Maroc, l'autre en Haïti — que je fis dans le cadre de mandats que j'avais acceptés et dont je reparlerai plus loin, j'ai participé, avec une amie et un groupe d'une vingtaine de personnes, à un circuit gastronomique et culturel en Chine à l'automne 2006. Ce voyage promettait d'être exceptionnel. Nous nous étions bien préparées. Nous avions suivi des séances d'information. Nous étions accompagnées d'un guide compétent. Nous partions pour trois semaines à la découverte des sites les plus fascinants du «continent» chinois. J'étais vraiment très heureuse d'entreprendre ce périple.

Malheureusement, à peine avais-je mis les pieds dans l'avion que je commençai à me sentir mal, à souffrir de douleurs à l'estomac, à avoir des nausées. J'avais bien ressenti certains malaises en revenant d'Haïti quelques semaines auparavant, mais ils s'étaient estompés. « C'est la fatigue, le stress », me disais-je. Mais en arrivant à Beijing, j'étais vraiment mal en point. Comme je ne suis jamais malade, je ne me plaignais pas, ni ne m'inquiétais vraiment. Le lendemain, je suis demeurée dans ma chambre pour me reposer pendant que le groupe allait visiter la Cité interdite et la place Tianan men. Mais le deuxième jour, ça n'allait pas mieux. Et le voyage se poursuivit ainsi de ville en ville pendant cinq jours, huit jours, dix jours, mon état de santé se dégradant peu à peu, moi admirant du fond de l'autocar la grande muraille, trop chancelante pour me joindre à mes compagnons, revenant en sueur de la moindre excursion, avalant des bouillons, buvant du thé et maigrissant à vue d'œil pendant que les autres membres du groupe se régalaient de repas « huit services », me disant toujours que cela allait finir par passer, jusqu'à cet après-midi où, parcourant clopin-clopant le musée de Shanghai, je fus à deux doigts de m'évanouir.

Je me décidai enfin à agir. Je m'adressai à la réception de mon hôtel où l'on me conseilla de me rendre à un hôpital voisin qui était pourvu d'une section pour les étrangers. C'est ainsi que, accompagnée de mon amie Nicole, je fis mon entrée à « l'Hôpital du peuple numéro un » de Shanghai !

Accueillie par quatre infirmières vêtues d'uniformes bleu poudre et de coiffes de même couleur qui, dans un anglais approximatif, procédèrent à mon inscription, je fus assez rapidement vue par un médecin. Après m'avoir examinée et questionnée, il me dit : « Madame, vous êtes en train de vous déshydrater complètement. Il est hors de question de vous laisser partir. Il faut vous hospitaliser et faire des examens plus approfondis. » Je me retrouvai donc pendant trois jours et trois nuits dans une chambre sans autre équipement qu'une petite sonnette et le soluté auquel j'étais branchée, soignée par des infirmières toutes plus gentilles et plus incompréhensibles les unes que les autres, à passer des tests et à attendre les résultats, avec comme seule distraction un téléviseur qui ne diffusait que des émissions en langue chinoise et, heureusement, les visites régulières de mon amie Nicole.

Pendant mon séjour dans cet hôpital, j'eus, par ailleurs, l'occasion d'assister à une scène qu'il serait inimaginable de voir dans une institution québécoise. À un certain moment, on me transporta en chaise roulante dans le bâtiment principal de ce gros hôpital, d'une dimension équivalente à celle, par exemple, de l'hôpital Notre-Dame à Montréal, afin d'y passer une échographie. Quel ne fut pas mon étonnement de constater que cet examen se déroulait portes grandes ouvertes, au vu et au su de tout le monde, la famille entourant le patient et commentant la situation à haute voix !

Curieux de connaître le fonctionnement du système de santé au Québec, un médecin vint me visiter dans ma chambre. Il me questionna à ce sujet pendant près d'une heure et demie. Ne sachant pas que j'avais été ministre de la Santé, il dut être bien étonné de la précision de mes réponses !

Ce séjour forcé à « l'Hôpital du peuple numéro un » de Shanghai, où je fus par ailleurs très bien traitée, se révéla une expérience étonnante. Finalement, les médecins vinrent me dire qu'ils ne savaient pas exactement ce que j'avais, qu'ils croyaient que c'était une bactérie et qu'ils m'offraient le choix entre poursuivre ma guérison pour encore quatre ou cinq jours dans cet hôpital ou rentrer me soigner au Québec. Je choisis cette dernière option. Ils me donnèrent mon congé. Même si j'étais encore faible, je m'en retournai à pied à mon hôtel, ce qui me permit d'avoir un aperçu de cette stupéfiante ville de Shanghai qui oscille entre traditionalisme fascinant et modernisme délirant. Deux jours plus tard, après m'être débattue dans les méandres de la bureaucratie chinoise pour obtenir mon visa de sortie, j'étais de retour à Montréal. Je passai une batterie d'examens médicaux qui finirent par révéler que j'avais probablement contracté une bactérie lors de ma mission à Haïti et que je l'avais transportée avec moi jusqu'en Chine. C'est aussi cela, la mondialisation !

À la fin de l'année 2006, j'eus l'occasion de retourner en Asie, cette fois-là avec mon mari et trois de nos enfants. À la suggestion d'un grand ami dont la fille réside dans ce pays, nous sommes allés passer les vacances du temps des fêtes au Vietnam. Pendant un mois, nous avons exploré ce pays splendide, parcourant, du détroit du Mékong à la baie d'Along, ses routes où les motos sont reines, découvrant ses marchés si colorés et vivants, visitant même ces fameux tunnels creusés pendant la guerre contre les États-Unis, partout très bien accueillis par ce peuple chaleureux. Et, fort heureusement, j'étais alors tout à fait rétablie de mes problèmes de santé.

À l'occasion de ces voyages comme dans la vie de tous les jours, ma nouvelle condition de «libre citoyenne» me permettait aussi — après toutes ces années pendant lesquelles de constantes périodes d'éloignement faisaient partie des sacrifices que mon engagement politique m'imposait — de passer plus de temps avec mon mari, Claude Blanchet.

Au fil des pages de ce livre, j'ai raconté les circonstances de notre rencontre. J'ai évoqué non seulement l'amour mais la complicité qui nous unit. J'ai parlé du rôle majeur qu'il a joué dans l'éducation de nos enfants. J'ai mentionné brièvement les grandes étapes de sa vie professionnelle qui s'est parfois entrecroisée avec la mienne. Je voudrais aussi souligner sa contribution au développement économique du Québec pour laquelle j'ai la plus grande admiration.

Après avoir gravi, grâce à son sens des affaires et à ses qualités de gestionnaire, les échelons chez Campeau Corporation, Claude était à trente ans vice-président principal, chargé des opérations pour le Québec, de cette compagnie spécialisée dans le domaine de l'immobilier et dont le siège social était à Ottawa. À ce titre, il gérait un actif de cent cinquante millions de dollars et dirigeait plusieurs centaines d'employés. Ayant lui-même réalisé de bons investissements dans l'immobilier, il était d'ores et déjà indépendant de fortune. Il aurait fort bien pu poursuivre ses activités dans l'entreprise privée où il était promis à une brillante réussite. Or, par fidélité à nos convictions sociales et politiques, il décida plutôt de donner un autre sens à sa vie, en se consacrant à la création d'entreprises et d'emplois au Québec, en mettant son talent au service du développement économique de notre collectivité.

En 1978, il accepta — pour un salaire beaucoup moins élevé que les revenus qu'il touchait dans le secteur privé — de prendre la direction de la toute nouvelle Société de développement coopératif (SDC) que le gouvernement venait de créer en partenariat avec le mouvement coopératif québécois. Jusqu'en 1984, il travailla à la croissance de cette société dont l'objectif était de fournir du capital de risque et des services techniques aux entreprises coopératives. Il y mit notamment en œuvre une nouvelle formule de coopératives d'habitation à capitalisation, une idée qui a fait des petits et qui a été reprise par les sociétés d'habitation fédérale et municipales. Il déploya aussi beaucoup d'efforts pour tenter de mettre en place une chaîne de coopératives d'alimentation, un projet qui, faute de capitaux disponibles, ne se concrétisa malheureusement pas.

C'est à cette époque que Claude rencontra l'économiste Jean-Guy Frenette qui représentait la Fédération des travailleurs du Québec (FTQ) au conseil d'administration de la SDC. Et c'est lors d'une mission en Suède que les deux hommes, découvrant l'existence de fonds d'investissements appartenant à des syndicats, eurent l'idée de créer au Québec un tel instrument financier. La SDC servit d'incubateur à ce projet, pour lequel s'enthousiasma bientôt Louis Laberge, alors président de la FTQ. En 1983, grâce à la ténacité et à la force de conviction de ce syndicaliste visionnaire, grâce aussi au soutien du gouvernement du Parti Québécois qui voyait là un outil pour aider le Québec à sortir de la crise économique qui le frappait durement, le Fonds de solidarité des travailleurs du Québec (FTQ) voyait le jour. Il avait pour principales missions la création et le maintien d'emplois ainsi que la formation économique des travailleurs. Louis Laberge invita mon mari à en devenir le premier président-directeur général.

Claude se lança avec une passion et une énergie débordantes dans cette aventure dont à peu près tout le monde prédisait l'échec. Il faut relire les éditoriaux de l'époque qui exprimaient à ce sujet une totale incrédulité et se rappeler les propos du président du Conseil du patronat qui prédisait qu'aucun « patron sensé » ne ferait affaire avec un syndicat ! Lorsque Claude quitta la direction du Fonds de solidarité après y avoir travaillé d'arrache-pied pendant quatorze ans, celui-ci était devenu la plus importante société de capital de développement du Québec. Il comptait des milliers de formateurs économiques et trois cent mille actionnaires. Il possédait un avoir net de plus de deux milliards de dollars investis dans des centaines d'entreprises. Il avait contribué à créer et à maintenir des dizaines de milliers d'emplois. Il avait aussi servi de modèle à la création de plusieurs autres fonds de travailleurs ailleurs dans le monde.

En 1997, à la demande de Bernard Landry qui était à ce moment-là ministre des Finances et de l'Économie, après avoir refusé l'offre à deux reprises et suite à une rencontre avec le premier ministre Lucien Bouchard, Claude accepta de relever un nouveau défi : devenir président du conseil et président-directeur général de la Société générale de financement du Québec (SGF) et, ce faisant, sortir cette société — créée par Jacques Parizeau au moment de la Révolution tranquille — de la léthargie qu'elle connaissait alors pour la transformer en fer de lance du développement des investissements au Québec. Jacques Parizeau lui fit à ce sujet une remarque amusante : « Vous allez réveiller la belle au bois dormant. » La SGF se voyait confier à cette fin deux milliards de dollars par le gouvernement québécois. J'étais à ce moment-là, précisons-le, ministre de l'Éducation.

Six années plus tard, quand il quitta la direction de la SGF à la suite de la décision du nouveau gouvernement libéral de revoir le rôle de cette société et en dépit des controverses que les libéraux s'ingénièrent à soulever à son endroit afin de m'atteindre, Claude pouvait affirmer avec fierté : mission accomplie ! Entre 1997 et 2003, la mise de fonds d'environ deux milliards de dollars de la SGF avait généré des investissements privés de quelque huit milliards de dollars pour des projets totalisant plus de dix milliards de dollars. Réalisés en partenariat dans cent quarante-huit entreprises privées, qui avaient, rappelons-le, toujours la majorité de l'actionnariat dans ces dossiers et qui en étaient les maîtres d'œuvre, ces investissements avaient permis la création de cinquante-six mille nouveaux emplois — soit quatorze pour cent de tous les emplois créés au Québec au cours de cette période — et d'accroître le PIB de un et demi pour cent.

Après s'être consacré pendant vingt-cinq ans avec honnêteté, rigueur et compétence au développement économique du Québec, après avoir mérité à juste titre ce sympathique surnom de « banquier de gauche » qu'on lui donne, Claude est retourné depuis 2004 à la gestion de ses propres affaires.

À nos yeux, plus encore que les réalisations de Claude sur le plan économique ou que les miennes dans le domaine politique, notre plus belle réussite, c'est notre famille et nos quatre enfants. Aussi étais-je heureuse, en quittant la vie politique en 2006, de pouvoir passer plus de temps en leur compagnie dans notre maison de l'Île-Bizard.

Chacun de nos enfants est né à un moment particulier de mon engagement au sein du Parti Québécois. J'avais trente ans quand j'ai mis au monde notre premier enfant, notre fille Catherine, peu avant de devenir directrice de cabinet de Lise Payette en 1979. J'ai accouché de notre fils Félix onze jours après mon élection comme députée de La Peltrie en 1981. Il a fait toute la campagne électorale avec moi avant de naître à la maison ! François-Christophe est né en 1983. Deux semaines plus tard, René Lévesque me nommait ministre de la Main-d'œuvre et de la Sécurité du revenu. Enfin, Jean-Sébastien est venu au monde en 1985, au moment même où je décidais de me lancer dans la course à la chefferie du Parti Québécois.

Comme toutes les familles dont les deux parents travaillent, nous avons eu à résoudre la difficile question de la garde des enfants. C'était avant que le gouvernement du Parti Québécois mette sur pied, à mon initiative, les centres de la petite enfance. Chaque famille devait se débrouiller seule. À la naissance de Catherine, j'ai eu la chance formidable que ma mère vienne la garder et s'occuper d'elle. Puis, quand Félix est arrivé, nous avons embauché une jeune gardienne adorable, Sonia. Elle logeait chez nous. Elle était incroyablement distraite — perdant les bottines des enfants quand elle les amenait au parc, jetant les ustensiles avec les restes quand elle nettoyait la table — mais elle adorait les enfants et s'en occupait très bien. Débordante d'imagination, elle les fascinait par les histoires extraordinaires qu'elle leur racontait. Après son départ, nous avons traversé une période difficile où se sont succédé plusieurs gardiennes qui, même si elles étaient charmantes, n'avaient pas les qualités requises pour s'occuper de deux enfants. Heureusement, quelques mois après la naissance de notre troisième enfant, j'ai rencontré Magali Théodore, ma « perle des Antilles ». Originaire d'Haïti, Magali vivait alors à Québec. À l'automne 1985, elle aménagea dans notre maison à Saint-Augustin-de-Desmaures pour venir s'occuper des enfants. Aujourd'hui âgée de soixante-dix ans et à la retraite depuis quelque temps, elle vit toujours avec nous. Elle fait partie à part entière de notre famille et les enfants lui sont très attachés.

J'ai eu une enfance heureuse et mes enfants ont bénéficié aussi d'une enfance heureuse. Entourés de gens qui les aimaient — Magali qui prenait soin d'eux au quotidien, ma mère souvent présente, la mère de Claude, Angéline, qui, amputée d'une jambe par suite d'une tumeur, a vécu avec nous près de dix-huit années jusqu'à son décès en 2002, et qui était une présence réconfortante pour les enfants, en particulier pour le petit dernier, Jean-Sébastien, qu'elle berçait avec une affection particulière, et bien sûr Claude, toujours disponible pour changer une couche, donner le biberon ou les accompagner chez le médecin quand ils étaient malades —, ils n'ont manqué de rien. Je ne crois pas qu'ils aient eu à souffrir de mes absences. Bien sûr, il me fallait accepter cette vie au sein d'une famille élargie. Il me fallait consentir, même si chaque absence représentait un sacrifice et me faisait de la peine, à faire confiance à mes enfants et aux personnes qui s'occupaient d'eux. Il me fallait tolérer que mon mari habille à l'occasion les enfants avec des vêtements aux couleurs étrangement assorties. Il me fallait admettre que mes enfants confient parfois leurs petits secrets à Magali plutôt qu'à moi. J'ai accepté tout cela parce que je savais que mes enfants recevaient tout l'amour dont ils avaient besoin.

Être les enfants de personnages publics n'est pas toujours facile. Mais nous ne leur avons jamais mis de pression à ce sujet. Jamais nous n'avons exigé d'eux qu'ils s'habillent de telle façon, qu'ils se comportent de telle manière ou qu'ils participent à telle ou telle activité parce qu'ils étaient nos enfants. Ça n'a jamais entré en ligne de compte. La seule chose que nous leur avons dite, c'est que s'ils faisaient une bêtise, celle-ci risquait fort d'être amplifiée, voire de faire la manchette des journaux, à cause de notre notoriété. Et, bien sûr, nous leur avons transmis nos valeurs de tolérance, de générosité et de solidarité.

Je ne crois pas, par ailleurs, qu'ils aient eu à pâtir des controverses qui ont à l'occasion accompagné ma vie politique, à l'exception de ma fille Catherine qui, lorsque j'étais ministre de l'Éducation, a trouvé pénible de voir un jour les étudiants de son cégep manifester contre moi ! Les trois autres étaient encore à l'école secondaire et n'ont donc pas eu à vivre ce genre de situation.

Nos quatre enfants ont tous été à l'école publique. C'était pour moi une question de principe. Je ne pouvais pas concevoir, comme ministre au gouvernement du Québec, que mes enfants ne fassent pas leurs études dans le système public. Ils ont fréquenté divers cégeps — Vieux-Montréal, André-Laurendeau, Gérald-Godin et Ahuntsic — et plusieurs universités — Laval, Montréal, HEC, UQAM et UQTR. Ils s'y sont fait des amis de différents milieux et de diverses origines avec qui nous prenons plaisir à discuter quand ils viennent à la maison. Nous avons également toujours tenu à ce que nos enfants, pour apprendre la valeur du travail et de l'argent, se procurent des emplois d'été ou accomplissent des travaux domestiques dès qu'ils ont atteint l'âge de le faire.

Notre fille Catherine est diplômée en administration de l'Université Laval. Elle a d'ailleurs partagé un appartement avec moi quand elle est venue poursuivre ses études à Québec. Elle vit aujourd'hui dans cette ville où elle dirige un club vidéo. Mais sa vraie passion, c'est le «cheerleading», qui est simplement une façon pour bien des filles de faire de l'exercice physique et de participer à des compétitions sportives. Elle a conçu des chorégraphies et bâti des programmes qu'elle propose aux cégeps et aux commissions scolaires. Elle fait de la formation partout au Québec et a même créé un regroupement de clubs de «cheerleading». Notre fils Félix, qui a joué au football avec les Carabins de l'Université de Montréal, termine son cours en éducation physique à l'Université du Québec à Trois-Rivières. Il veut devenir enseignant. Notre deuxième fils, François-Christophe, est le scientifique de la famille. Il poursuit des études en biologie à l'UQAM. Enfin, le plus jeune, Jean-Sébastien, semble avoir hérité du sens des affaires de son père et termine cette année un baccalauréat aux HEC.

Aucun de nos enfants ne s'est, pour l'instant en tout cas, engagé sur le plan politique. Bien sûr, ils sont parfois venus assister à mes assemblées d'investiture. Même s'ils étaient très jeunes, ils ont tous travaillé avec nous lors du référendum de 1995. C'était touchant de les voir. Mais ils sont tous très intéressés par la politique et nous avons avec eux, leurs copines et leurs amis — nos trois fils vivent avec leurs copines chez nous (Karine, Kim et Julie, des jeunes femmes adorables) et il leur arrive souvent aussi de transformer notre maison en hôtel pour leurs amis — de passionnantes discussions autour de la table. Quand je me suis retirée de la vie politique, l'un de mes fils est venu me dire avec beaucoup d'émotion : « Tu fais bien, maman. Tu as fait une bonne job. Tu ne dois rien regretter. C'est correct que tu rentres maintenant à la maison. »

Ma famille m'a toujours permis de trouver l'essentiel de mon équilibre, de ma sérénité, de mon bonheur. Si j'avais eu un jour à faire le choix entre ma vie publique et ma famille, c'est cette dernière que j'aurais choisie sans l'ombre d'une hésitation.

Passer plus de temps avec mon mari et mes enfants, voyager ici et là, aider à faire le grand ménage du printemps dans notre maison, commencer à classer les quelque quarante caisses de documents entreposées dans le grenier et que j'enverrai un jour aux Archives nationales, cuisiner de bons petits plats et puis jardiner : m'habiller de vieux vêtements confortables, un foulard sur la tête, redresser les plates-bandes, choisir les couleurs — orange, jaune, rose, mauve ? — des fleurs annuelles qui embelliraient notre jardin, mettre mes mains dans la terre pour les planter une à une. Voilà comment j'entendais, tout doucement, occuper pendant quelque temps mes journées.

Il n'était pas question pour moi de prendre une retraite définitive. Je souhaitais réorienter mes activités professionnelles vers la coopération internationale dans les domaines de la petite enfance, de l'éducation ou de la gestion. Mais je n'étais pas pressée. Je voulais d'abord prendre le temps de souffler un peu.

Cependant, en juin 2006, à peine trois mois après mon retrait de la vie politique, Jeanne L. Blackburn, qui présidait la fondation des parlementaires québécois «Cultures à partager» depuis une dizaine d'années, me demanda de lui succéder à ce poste. Je n'étais pas certaine de vouloir me réengager si rapidement, mais elle insista beaucoup. Je finis par accepter car je ressens un véritable attachement pour cette fondation qui a vu le jour quand j'étais ministre de l'Éducation. C'était en 1996. Les ministres de l'éducation des pays de la Francophonie se réunissaient à Madagascar. Comme je ne pouvais y assister, j'avais demandé à Jeanne, alors députée de Chicoutimi et présidente de la Commission de l'éducation de l'Assemblée nationale, de m'y représenter. Elle y avait rencontré le père jésuite Jacques Couture, ancien député de Saint-Henri et ministre de l'Immigration dans le premier gouvernement de René Lévesque, qui vivait alors dans ce pays où il dirigeait une école. Invitée à visiter cette école, Jeanne constata qu'il n'y avait aucun livre, aucune grammaire, aucun dictionnaire, ni dans les classes ni dans la bibliothèque. «Nous sommes trop pauvres pour en acheter», lui dit Jacques Couture. De retour au Québec, elle lança un appel à tous les députés de l'Assemblée nationale afin qu'ils fassent une collecte de livres pour l'école de Jacques Couture. Tout le monde prit l'affaire tellement au sérieux qu'elle hérita bientôt de cinquante mille livres à distribuer! Elle décida de créer une organisation sans but lucratif pour gérer ce projet de coopération. Avec le temps, cette organisation est devenue une véritable fondation placée sous la présidence d'honneur du président de l'Assemblée nationale du Québec, avec un conseil d'administration composé de parlementaires et d'ex-parlementaires de tous les partis, des constituantes dans plusieurs régions, du personnel, des ateliers de restauration de livres et des entrepôts. En une décennie, la fondation a distribué plus d'un million de livres à travers la Francophonie.

Je me retrouvai donc présidente bénévole de cette fondation, me consacrant à développer ses services techniques, à assurer son financement, à renouveler son conseil d'administration, à préparer son assemblée générale annuelle. J'ai aussi effectué deux missions à l'étranger pour la fondation: l'une au Maroc, au mois d'août 2006, pour participer à un forum international qui se tenait dans le cadre d'un grand festival culturel, l'autre au Burkina Faso et au Bénin, en décembre de la même année, pour rencontrer les responsables de la diffusion des livres dans ces pays et m'assurer que nos envois se rendaient à bon port.

Au mois d'août 2006, j'ai accepté, par ailleurs, de participer à une mission de formation en Haïti. Cette mission était organisée par l'École nationale d'administration publique (ENAP) à la demande du premier ministre du Québec, qui en avait pris l'engagement lors d'une rencontre avec le président haïtien. Elle consistait à conseiller le gouvernement haïtien sur la modernisation de leurs institutions politiques. Accompagnés de deux experts de l'ENAP, Guy Morneau et Yves Poulin, nous sommes donc partis — l'ancien haut fonctionnaire Guy Coulombe, l'ex-attaché de presse de Robert Bourassa, Ronald Poupart, et moi-même — pour un séjour de deux semaines à Port-au-Prince où nous avons été accueillis de façon extraordinaire. Après avoir mené une série de rencontres avec des représentants d'organismes publics ou privés pour prendre le pouls de la réalité haïtienne, nous avons eu ensuite plusieurs séances de travail au plus haut niveau avec les membres du gouvernement : président, premier ministre, ministres et sous-ministres. Nous leur avons expliqué comment le Québec a bâti ses institutions politiques au moment de la Révolution tranquille, comment ces institutions — le Conseil des ministres, les comités ministériels, la fonction publique, etc. — fonctionnent aujourd'hui, comment les politiques sont adoptées, puis mises en œuvre, en donnant des exemples aussi bien d'échecs que de réussites, en répondant également à toutes les questions qu'ils se posaient. Ce fut une expérience passionnante qui, je l'espère, leur a été utile car ce pays traverse crise après crise au point qu'on peut se demander si un jour il s'en sortira. Je sais en tout cas que l'ENAP a continué à travailler avec eux et à les conseiller par la suite.

Cette mission m'a aussi donné l'occasion de rencontrer plusieurs Québécois qui étaient là-bas, notamment des policiers prêtés par des municipalités québécoises pour aider à la formation des agents haïtiens. Je me suis aussi rendu compte à quel point les Haïtiens, qui sont nombreux à avoir de la famille à Montréal, écoutent Radio-Canada et TV5 et sont assez bien informés de notre situation politique. À plusieurs reprises, dans les restaurants où nous allions manger, j'ai été interpellée de façon fort sympathique par des gens qui semblaient très bien savoir qui j'étais.

À l'automne 2006, j'ai aussi été invitée à devenir membre du conseil d'administration de la Fondation Gérin-Lajoie par son fondateur, Paul Gérin-Lajoie, qui a été le ministre de l'Éducation au moment de la Révolution tranquille et qui a joué un rôle de premier plan dans la mise en place du système d'éducation moderne au Québec. J'ai toujours eu beaucoup d'admiration pour cet homme et, quand j'étais moi-même ministre de l'Éducation, j'avais soutenu sa fondation qui se consacre, d'une part, à la formation des enseignants, la conception des programmes et la construction d'écoles dans les pays de la Francophonie et, d'autre part, à la sensibilisation des jeunes Québécois aux problèmes que vivent les enfants dans les pays en développement et à la nécessité de l'aide internationale. La fondation organise aussi chaque année dans les écoles québécoises la fameuse «dictée PGL» afin de promouvoir la qualité du français. Je considérais cette invitation à me joindre à la fondation comme un grand honneur et je l'ai acceptée avec beaucoup de plaisir. Cela me permit notamment de participer, au printemps 2007, à un forum international que la fondation organisa pour souligner ses trente années d'existence et pour réfléchir avec des gens venus de partout, notamment d'Afrique et d'Europe, sur la contribution spécifique qu'elle peut apporter et sur les actions qu'elle peut mener en matière d'aide internationale.

Au cours de cette période, j'ai donné finalement quelques conférences — sur la réforme de l'éducation, sur le leadership des femmes — et j'ai accepté d'écrire la préface d'un livre de recettes préparé par les centres de la petite enfance (CPE) et de présider à son lancement.

En somme, j'étais devenue une libre citoyenne plutôt occupée et plutôt heureuse de sa nouvelle vie.

Je me tenais cependant loin de la politique. J'ai participé à une seule activité partisane : l'assemblée d'investiture de mon amie Marie Malavoy dans mon ancien comté de Taillon. Malgré les demandes de commenter l'actualité qui m'arrivaient des médias presque chaque semaine, je m'étais fait un devoir de ne pas jouer la belle-mère — devrais-je user du terme «beau-père» puisqu'on utilise celui de «belle-mère» quand on parle des anciens hommes politiques qui donnent leur avis sur tout et sur rien ? — et de ne pas tirer dans les pattes du Parti Québécois et de son nouveau chef.

Je n'en observais pas moins avec tristesse les difficultés qui s'accumulaient dans le camp souverainiste jusqu'à la défaite électorale de mars 2007. Je suivais bien sûr ce qui se passait. Je lisais, je discutais et je réfléchissais. Mais je ne me sentais absolument pas « en réserve de la république ». J'avais bel et bien fait mon deuil, sans regret ni amertume, de la vie politique. Pour moi, cette vie et tous les sacrifices qu'elle exige appartenaient désormais au passé.

ÉPILOGUE
Au bout de nos rêves

L E 8 MAI 2007, André Boisclair démissionna comme chef du Parti Québécois. Le jour même, je reçus de nombreux appels d'amis, de collaborateurs, de militants et de députés du PQ m'incitant à quitter ma retraite politique et à poser ma candidature à la chefferie du parti. Mon mari et mes enfants me dirent : « Tu n'as pas vraiment le choix. Tu dois y penser. Quelle que soit la conclusion à laquelle tu arriveras, nous serons avec toi. » Le lendemain, Bernard Drainville, nouveau député de Marie-Victorin, lança un vibrant appel public en faveur de ma candidature. Un premier sondage révélait, par ailleurs, que je disposais d'une nette avance sur tous les autres candidats potentiels.

Tout se joua en quelques jours, ma réflexion et ma décision. Le Parti Québécois — ce parti auquel j'ai consacré tant d'années, ce parti qui a déjà tant fait pour le Québec et qui peut encore tellement lui apporter —

n'allait pas bien. Certains craignaient même qu'il dispa-
raisse et que s'évanouisse avec lui le projet de faire du
Québec un pays souverain, ce projet qui est la grande
cause politique de ma vie. Comment pouvais-je ne pas
me sentir concernée? À deux reprises j'avais voulu
devenir chef de ce parti. Contre toute attente, une
troisième occasion se présentait. Ne devais-je pas la
saisir? Bien sûr, personne n'est indispensable mais,
faisant le tour du jardin, il me fallait me rendre à l'évidence — sans prétention aucune — que j'étais sans
doute la personne la mieux placée, ne serait-ce que par
mon expérience, pour prendre la relève. Il y avait certes
Gilles Duceppe. Mais il reconnaîtrait lui-même quelques jours plus tard — avec le sens des responsabilités
et le courage qu'on lui connaît — qu'il servirait mieux
les intérêts du Québec en demeurant à la barre du Bloc
Québécois à Ottawa.

Plus fondamentalement, je me suis dit: «Tu crois à
la souveraineté. Tu crois à la social-démocratie. Tu crois
que tu peux contribuer à faire avancer le Québec. Ne le
regretteras-tu pas si tu refuses aujourd'hui d'aller au
bout de tes convictions, au bout de ton engagement?»

Le 13 mai 2007, j'annonçai officiellement ma décision
de présenter ma candidature à la direction du Parti
Québécois. Peu après, je rendais publique la déclaration suivante:

«Pendant dix-huit mois, j'ai été absente de la scène politique. Si j'ai choisi de revenir, c'est que j'ai la profonde conviction que notre parti, malgré les heures difficiles qu'il traverse, peut faire encore beaucoup pour le Québec. Pour peu bien sûr qu'il soit capable de se parler avec franchise et de se dire les choses telles qu'elles sont.

«Le 26 mars dernier, les électeurs ont infligé une sévère défaite au Parti Québécois. Il serait facile de pointer du doigt telle ou telle raison pour expliquer cette défaite. Pourtant nous ne ferions que nous cacher la tête dans le sable. Ce n'était pas un simple accident de parcours. Depuis 1994, on assiste à une baisse constante de la popularité de notre parti. Pourquoi? Pourquoi notre parti a-t-il perdu la confiance de bon nombre de Québécois? Parce que nous n'avons pas su écouter ce qu'ils nous disaient. Parce que nous nous sommes enfermés dans des doctrines et des discussions en vase clos. Parce que, dans notre désir de faire ce que nous croyions être le mieux pour les gens, nous avons oublié d'entendre ce qu'eux considéraient être le meilleur pour eux-mêmes. Parce que nous avons manqué du courage nécessaire pour proposer des changements devenus incontournables dans notre société.

«Nous avons, de bonne foi, fait des erreurs, ce qui est inévitable dans l'action. Mais, pour retrouver la confiance des Québécois, nous devons, comme parti, nous remettre à l'écoute de la population et accepter les nécessaires changements qu'elle nous propose. Car un parti politique qui n'est pas à l'écoute de la population se condamne inévitablement à la marginalité, voire à la disparition.

« Le 26 mars dernier, j'ai pris fait et acte de trois choses importantes que les Québécois nous ont dites. D'abord qu'ils ne se sentaient pas prêts à rouvrir maintenant la discussion décisive sur la souveraineté du Québec et qu'ils n'en pouvaient plus de se voir enfermés dans un stérile débat sur la date, le jour, l'heure du référendum, bref, dans la mécanique. Mais, du même souffle, ils nous ont indiqué qu'ils voulaient sans attendre voir leur identité et leurs valeurs fondamentales être affirmées haut et fort. Ensuite qu'ils ne se reconnaissaient plus dans certains dogmes qui prévalent au Québec depuis la Révolution tranquille et dont nous nous sommes faits les porte-parole. Enfin, qu'il fallait nous soucier de l'endettement collectif qui risque de condamner nos enfants à être écrasés sous un fardeau intenable et qu'ils attendaient des actions réalistes, concrètes et immédiates, dans certains dossiers où ils ont des inquiétudes particulières.

« Comme démocrate, je suis profondément convaincue que le peuple est souverain et que, comme parti politique, nous avons le devoir d'écouter avec respect et de répondre à ses aspirations. C'est la condition première pour obtenir sa confiance et son écoute.

« Depuis sa fondation, le Parti Québécois s'est construit sur deux piliers : la social-démocratie et la souveraineté. Vouloir les renier lui ferait perdre sa raison d'être. Tout comme le fait de se radicaliser en refusant d'avance de gouverner un Québec encore province serait une recette assurée pour l'exclusion, voire le suicide politique. Depuis quarante ans, le Québec a changé. Et si le Québec et les Québécois ont évolué, le Parti Québécois doit lui aussi évoluer. Partout en Occident, des partis progressistes, sans rien renier de leurs valeurs profondes, adaptent leurs politiques. Nous ne devons pas craindre d'en faire autant et de nous renouveler à partir des attentes de la population. Posons-nous la question: comment être souverainiste, comment être social-démocrate en 2007?

« Plus personne ne conteste désormais que les Québécoises et les Québécois, par leur histoire, leur langue, leur culture, le territoire qu'ils occupent, les institutions qu'ils ont créées au fil des siècles, les liens qu'ils ont tissés avec le monde, forment une nation. Pour ma part, je suis profondément convaincue qu'aucun peuple ne peut renoncer à sa souveraineté et qu'aucun parti politique n'a moralement le droit d'écarter d'une manière définitive le droit d'un peuple à s'autodéterminer.

« Au Parti Québécois, nous croyons que le Québec possède tout ce qu'il faut pour devenir un véritable pays et que nous ne pourrons nous réaliser pleinement, comme nation, que lorsque nous nous gouvernerons nous-mêmes. Mais il faut se rappeler, comme parti, que l'important, c'est l'objectif que nous poursuivons. Pour l'atteindre, il faut que le mouvement souverainiste, ses membres, deviennent les artisans de la mobilisation pour la souveraineté. Cette responsabilité ne doit plus reposer sur les seules épaules du chef ou de l'aile parlementaire. À travers des moyens que nous définirons ensemble, il appartiendra à chacune et à chacun d'entre nous d'agir. Car tout le temps et toute l'énergie passés à débattre du jour et de l'heure sont du temps et de l'énergie qui ne sont pas consacrés à convaincre de la nécessité de cette souveraineté. Je refuse de m'engager dans cette voie. Le Parti Québécois doit rompre avec le piège d'échéancier ou d'obligation référendaire. Gardons-nous la liberté d'agir au mieux des circonstances, de conclure au besoin les alliances nécessaires. Dès maintenant, défendons et promouvons à chaque instant l'identité, les valeurs et les intérêts de la nation québécoise. Faisons-nous confiance et faisons confiance au savoir-faire, à la sagesse et à la volonté du peuple québécois.

« Par ailleurs, le Parti Québécois doit moderniser sa conception de la social-démocratie pour la faire reposer sur une lecture réaliste et progressiste d'un Québec et d'un monde qui ont changé. Nous devons en finir avec certaines idées toutes faites dans lesquelles une très large majorité de Québécois ne se reconnaissent plus. Nous devons accepter de nous ouvrir à des formes nouvelles et audacieuses de collaboration entre le secteur privé, le secteur communautaire et le secteur public. Il n'y a rien qui ne puisse être remis en question si cela sert le bien commun. Et le bien commun s'inscrit aussi dans le bien-être individuel. L'équité et la justice sociale ne sont pas nécessairement synonymes d'uniformité.

« Il faut mettre résolument le cap sur la croissance économique, dans une perspective de développement durable. Non parce que la création de richesse est une fin en soi mais parce qu'elle est LA condition essentielle pour faire avancer l'égalité des chances, financer les services publics et les programmes sociaux et bâtir la vraie solidarité. On ne peut pas répartir de l'argent que l'on n'a pas. Il faut, une fois pour toutes, en finir avec cette peur de la richesse comme s'il s'agissait de quelque chose qui nous détournerait du bien commun et de la solidarité. Au contraire, c'est grâce à la richesse que nous pourrons être mieux solidaires.

« Nous devons également prendre conscience de la crise de confiance de la population à l'égard des institutions et des services publics et offrir des garanties sur l'utilisation de ses taxes et impôts. Il nous faut aussi inscrire au cœur de nos propositions politiques : la famille dans son sens le plus large, comme pilier de notre société ; l'éducation, comme lieu de transmission du savoir et d'instauration de l'égalité des chances ; l'environnement, parce que, plus que jamais, notre planète est fragile ; la santé, parce qu'elle doit demeurer la garantie de notre solidarité, pour notre génération mais aussi pour celles de nos enfants et de nos petits-enfants ; enfin, la culture qui est la marque la plus distinctive de ce que nous sommes.

« Et ce que nous sommes, c'est notre histoire, les valeurs que nous partageons, toutes origines confondues : avant tout francophones, solidaires et démocrates, attachés au principe de l'égalité entre les hommes et les femmes, tolérants mais désireux du respect de cette identité.

« C'est ce parti renouvelé avec vous que je veux diriger. Un parti qui se parle avec franchise, qui part des préoccupations concrètes des gens et cherche ensuite à y répondre par des politiques adaptées à notre époque et fidèles à nos valeurs. Un parti qui se fait confiance. Parce que le Parti Québécois doit redevenir le parti des Québécois. »

Le 27 juin 2007, seule candidate en lice, j'ai été désignée chef du Parti Québécois. J'étais d'autant plus émue que cela se passait à Québec, dans cette ville où je suis née, où j'ai fait une bonne partie de mes études, pour laquelle je conserve un attachement profond.

J'ai eu ce jour-là, on le comprendra aisément, une pensée pour mes prédécesseurs, tout particulièrement pour le fondateur de notre parti, René Lévesque, qui m'a un jour persuadée de me présenter comme députée, qui a été le premier à me confier des responsabilités ministérielles, qui, surtout, m'a tant inspirée et m'inspire toujours avec son ambition de construire ici une société plus démocratique et plus juste et avec son rêve de donner aux Québécoises et aux Québécois un pays.

Le 24 septembre suivant, avec l'appui généreux de Rosaire Bertrand et de son équipe de militants, j'étais élue députée du comté de Charlevoix avec 59,16 % des suffrages et le 11 octobre, je faisais ma rentrée à l'Assemblée nationale du Québec.

Depuis que je suis devenue chef du Parti Québécois, j'ai rencontré des dizaines de milliers de nos concitoyens qui partagent mes préoccupations quant à l'avenir du Québec. Nous sommes aujourd'hui nombreux à être conscients que nous avons, comme nation, des défis majeurs à relever pour faire face à la crise de l'environnement, pour contrer les effets de la mondialisation sur notre économie et nos régions, pour restaurer nos infrastructures, pour améliorer la qualité de nos services d'éducation et de santé et en préserver l'accessibilité, pour mieux soutenir nos familles et nos personnes âgées, pour défendre notre langue, pour promouvoir notre identité culturelle, et pour amener le Québec à son plein épanouissement politique. Nous savons que ces défis sont pressants, que des changements s'imposent pour assurer un avenir meilleur à nos enfants. Nous savons aussi que ces changements ne viendront ni du Parti libéral ni de l'ADQ. Le Québec que nous chérissons mérite mieux que cela.

Je sais bien que, seule, je n'arriverai pas à réaliser ces changements. J'ai besoin du soutien de toutes les femmes et de tous les hommes qui ont encore et toujours le goût du Québec pour m'aider à mériter la confiance de la population. J'offre aux Québécoises et aux Québécois la force tranquille de mes convictions, de mon expérience politique, de l'équipe formidable qui m'entoure au sein du Parti Québécois, des valeurs fondamentales que nous partageons avec eux.

Et je leur dis : ensemble, sereinement, nous pouvons aller au bout de nos rêves.

REMERCIEMENTS

Je tiens à souligner en tout premier lieu la contribution de Jean-Yves Duthel à l'élaboration et à la réalisation de la première étape de ce projet et à le remercier. Je remercie aussi Louis-Philippe Lizotte pour son travail de recherche.

J'exprime ma reconnaissance à la maison d'édition Fides: son directeur général, Antoine Del Busso, sa directrice adjointe, Manon Forget, sa directrice de production, Carole Ouimet, et toute leur équipe. Ils m'ont accueillie et soutenue de façon exemplaire. J'adresse un remerciement particulier à Lucie Laurin qui a assuré la correction des épreuves.

Je suis redevable à plusieurs personnes, notamment mon mari, Claude Blanchet, Nicole Stafford, Marie-Claude Martel, Christiane Miville-Deschênes, Francine La Haye, Marie-Jeanne Robin, Esther Gaudreault et Denis Patry qui ont bien voulu lire le manuscrit et me faire bénéficier de leurs commentaires pertinents. Un grand merci affectueux à ma mère pour les photos.

Enfin et surtout, je veux remercier d'une façon toute particulière Pierre Graveline qui, avec patience, a écouté, a corrigé, a été ma plume et sans qui jamais cette biographie n'aurait pu voir le jour.

TABLE DES MATIÈRES

Ce livre a été imprimé au Québec en mars 2008
sur du papier entièrement recyclé
sur les presses de Marquis imprimeur.